KB185887

여자아이 기억

MÉMOIRE DE FILLE

Mémoire de fille
by Annie Ernaux

여자아이 기억
MÉMOIRE DE FILLE

아니 에르노
ANNIE ERNAUX

백수린
옮김

레모

터무니없게 들린다는 걸 알지만, 내가 누구인지 이야기해줘요.

수퍼트램프

"한 가지 더" 그녀가 말했다. "내가 한 짓 중 그 무엇도 나는 부끄럽지 않아. 누군가를 사랑하고, 그렇다고 말하는 일에 부끄러울 건 아무것도 없어."
그것은 사실이 아니었다. 그녀의 굴복과 편지, 보답받지 못한 사랑은 삶이 끝날 때까지 그녀를 계속 갉아먹고 불태워버릴 것이다. 하지만 결국에는 그렇게 고통스럽지 않았다. 아무것도 표현하지 못하고, 비밀스럽게 그것을 견뎌내야 하는 것보다는 확실히 그랬다. 모든 것은 경험이었고, 그건 이로운 것이었다. 당신은 이제 책을 한 권 쓸 수 있을 것이고, 그를 등장인물 중 하나로 만들 수 있을 것이다. 진지하게 음악을 시작하거나, 혹은 자살을 할 수도.

로저먼드 레이먼, 『모호한 대답』

그런 이들이 있다. 타인들의 현실에, 그들이 말하고 다리를 꼬고 담뱃불을 붙이는 방식에 사로잡혀버리는. 그들은 덫에 걸리듯 타인들의 존재에 붙들린다. 어느 날, 아니 그보다는 어느 밤, 그들은 오직 단 한 명의 타자가 지닌 욕망과 의지에 사로잡힌다. 그들이 자신이라 믿어왔던 것들은 자취를 감춘다. 그들은 사라지고, 자신의 상(像)이 움직이고 복종하며 상황의 알 수 없는 흐름 속으로 휩쓸려가는 모습을 바라본다. 그들은 언제나 타자의 의지에 뒤처져 있다. 타자의 의지는 언제나 한발 앞서 있다. 그들은 결코 그것을 따라잡지 못한다.

이는 복종도 동의도 아닌, '나에게 무슨 일이 일어난 거지?' 혹은 '어떻게 나에게 이런 일이 일어나지' 하고 간신히 생각하게 하는, 현실에 대한 당혹감일 뿐. 이마저도 이 사태 속에서 내가 더 이상 존재하지 않거나, 존재하더라도 이미 예전과 다른 사람이 되어버리지 않았을 때나 가능한. 여기에는 오직 자신만이 알고 있는 상황과 몸짓, 앞으로 이어질 순간의 주인인 타자밖에 없다.

그런 다음, 타자는 가버리고, 이제 당신은 그를 기쁘게 하지 못하며, 그는 당신에게 더는 흥미를 느끼지 않는다. 그는 당신을 더러워진 팬티 같은 현실 세계에 버려둔다. 이제 그가 신경 쓰는 건 그 자신의 시간뿐이다. 당신은 이미 습관이 되어버린 복종과 함께 홀로 남겨진다. 주인 없는 시간 속에 홀로.

그러고 나면 다른 이들은 쉽게 당신을 농락하고, 쉽게 당신이 놓여 있는 텅 빈 세계로 돌진한다. 하지만 당신은 아무것도 거부하지 않고, 그들을 가까스로 느낄 뿐이다. 당신은 주인을 기다리고, 그가 당신을 한 번만이라도 만져주는 은총을 베풀기를 기다린다. 그러다 어느 밤, 당신에 대한 절대적 우월함을 내세우며 그는 당신이 당신의 전부로 간청한 그 일을 한다. 다음 날, 그는 더 이상 없다. 하지만 당신에게 그런 건 아무런 상관이 없고, 그를 다시 되찾을 수 있으리란 희망이 살아갈, 옷을 입고 교양을 쌓고 시험에 합격할 이유가 된다. 그는 다시 돌아올 것이고 당신은 그에게 걸맞은 사람이, 그 이상의 사람이 될 것이며, 과거의 불분명한 모습이 아닌 아름답고 지적이며 확신에 찬 당신의 달라진 모습은 그의 마음을 사로잡을 것이다.

당신이 하는 모든 것은 당신이 은밀히 선택한 주인을 위한 것이다. 그렇지만 당신이 알아차리기도 전에, 스스로 더 가치 있는 사람이 되기 위해 노력하는 사이, 당신은 가차 없이 그에게서 멀어진다. 당신이 얼마나 정신이 나가 있었는지를 깨닫고 두 번 다시 그를 보고 싶어하지 않는다. 당신은 모든 것을 잊겠다고, 그에 대해 결코 아무에게도 말하지 않겠다고 다짐한다.

특별할 것 하나 없는 여름이었다. 드골 장군이 귀환했으며, 새로운 화폐와 새로운 공화국이 출현한 여름이었고, 월드컵 챔피언 펠레의 여름이자 투르드프랑스 경기의 우승자인 찰리 골, 달리다의 노래 〈내 이야기는 어떤 사랑 이야기이지〉로 기억되는 여름이었다.

스물다섯 살 이전까지 늘 그랬듯 기나긴 여름이었다. 그 이후엔 여름이 점점 빨리 흘러서 짤막하게 줄어들었고, 폭염과 가뭄 같은 일들로 각인된 여름을 제외하면 여름에 대한 기억은 순서가 뒤섞였다.

1958년의 여름.

이전의 여름들이 그랬던 것처럼, 가장 유복한 소수의

청소년들은 부모와 함께 코트다쥐르로 햇볕을 만끽하러 갔고, 마찬가지로 부유하지만 고등학교를 다니거나 생장바티스트드라살 사립학교에 다니는 일부 아이들은 회화 연습 없이 교재로만 6년간 배워 더듬더듬 할 줄 아는 영어를 완벽하게 익히기 위해 디에프로 가는 배를 탔다. 다른 부류들, 방학은 길지만 돈이 부족한 고등학생이나 대학생, 교사들은 프랑스 전역의 대저택이나 성에서 열리는 여름방학 캠프로 아이들을 돌보러 떠났다. 어디를 가든 여자아이들은 이번 여름엔 남자아이와 처음 자게 될까 궁금해하며, 두려움과 욕망 속에서 가방에 일회용 생리대를 챙겼다.

그해 여름, 수많은 징집 병사가 질서 회복을 위해 알제리로 떠났다. 대부분 처음으로 집에서 멀리 떠난 것이었다. 그들은 더위와 북아프리카 산악지대와 천막촌, 100년의 식민 지배에도 프랑스어를 할 줄 모르는 문맹의 아랍 사람들에 대해서 이야기하는 수십 통의 편지를 썼다. 건조하고 암석투성이인 풍경을 배경으로 동료들과 함께 찍은, 반바지 차림의 쾌활한 사진을 보냈다. 그들은 탐험을 떠난 보이스카우트처럼 보였고, 휴가를 떠난 거라는 생각이 들 정도였다. 여자아이들은 그들에게 아무것도 묻지 않았다. 마치 신문이나 라디오에서 상세히 언급되는 '교전'이나 '매복' 같은 것들은 그들이 아닌 다른 사람들하고만 관련된 일인 것처럼. 그녀들은 그들이 남자의 의무를 하는 것을, 그들의 육체적 욕구를 누그러뜨리기 위해서는 말뚝에 매어둔 염소가 필요하다는, 풍문으로 들은 말을 자연스럽게 여겼다.

그들은 휴가를 받아 돌아왔고, 목걸이나 파티마의 손, 동(銅) 쟁반을 가져 왔으며, 다시 떠났다. 그들은 베코가 부른 〈비가 올 그날〉의 멜로디를 '만기 제대가 올 그날'로 개사해서 불렀다. 마침내 남자아이들은 프랑스 전역으로 되돌아왔고, 북아프리카 오지에 간 적 없고, 북아프리카의 게릴라나 아랍인에 대해서 이야기하지 않는, 전쟁을 겪지 않은 아이들과 친구가 되어야 했다. 그들은 현실에서 동떨어졌고, 말하기를 거부했다. 그들은 자신들이 한 행위가 선한 것이었는지 악한 것이었는지, 자긍심을 느껴야 할지 수치심을 느껴야 할지 알 수 없었다.

1958년 여름의 그녀를 찍은 사진은 한 장도 없다.

여름방학 캠프에서 맞이했던 열여덟 번째 생일 사진조차도. 그녀는 방학 캠프 강사들 중에서 가장 어렸는데, 생일이 휴일과 겹쳐 오후에 발포성 와인과 설탕 뿌린 비스킷, 오렌지 맛 쿠키를 사러 갈 시간을 낼 수 있었지만, 그녀의 방에 들러 술을 한잔하거나 음식을 깨작거리고 금세 사라져버린 건 소수의 사람들뿐이었다. 어쩌면 그녀는 그때 이미 어울리지 않아야 할 사람으로 여겨지고 있었는지도 모르겠다. 그게 아니라면 음반이나 전축 같은 걸 갖고 오지 않았기 때문에 그저 관심을 끌지 못했던 것뿐이거나.

1958년 여름, 오른 지방의 S캠프에서 그녀와 가깝게 지냈던 이들 중 그녀를 기억하는 사람이 있을까? 아마 아무도 없을 것이다.

그들은 9월 말이 되어 고등학교, 사범학교, 간호학교, 체육학교로 돌아가거나, 알제리의 파견부대로 소집되어 뿔뿔이 흩어지며 서로가 서로를 잊었듯 그녀를 잊어버렸다. 대부분은 아이들을 돌보면서 금전적으로나 정신적으로 유익하게 방학을 보낸 것에 만족했다. 하지만 그녀는 틀림없이 다른 이들보다 빨리 잊혔을 것이다. 비정

상처럼, 상식의 위반처럼, 무질서처럼 — 그들의 기억을 채우기엔 터무니없는 웃음거리라도 되는 것처럼. 그녀는 그들의 1958년 여름에 대한 기억 속에 부재했다. 어쩌면 오늘날엔 흐릿해진 장소들 속의 희미한 실루엣이나, '공연 없음', '한밤중 지하실에서 벌어진 검둥이들의 싸움' 따위의 그들이 좋아하던 농담 같은 것으로 쪼그라들어 있을 1958년 여름에 대한 그들의 기억 속에서.

그러니까 그녀는 타인들의 의식 속에서, 바로 그 여름, 오른 지방의 바로 그 장소에 얼기설기 얽힌 모든 이의 의식 속에서 사라졌다. 행위와 태도, 육체의 매력, 그녀의 육체에 대해 평가하던 타인들. 그녀를 판단했고 배척했으며 그녀의 이름이 불릴 때면 — 그 무리 중 누군가는 그녀의 이름을 가지고 '아니 네 몸이 뭐라고 말하니?'(아니 코르디 말야, 하하!) 하는 말장난*을 생각해냈다며 으스댔다 — 하늘을 올려다보거나 어깨를 으쓱대던 타인들의 의식 속에서.

그녀는 프랑스 사회 혹은 세계의 다른 곳에 섞여 들어가고, 결혼을 하고, 이혼을 하고, 혼자 살거나 백발이나 염색한 머리의 은퇴한 조부모가 되었을 타인들에게 완

* 아니 코르디(Annie Cordy)는 벨기에 출신의 프랑스 가수이자 배우이다. '코르디'는 프랑스어로 '몸이 말하다(corps dit)'와 발음이 같다.

전히 잊혔다. 알아볼 수 없는 타인들.

나 역시 그 여자아이를 잊고 싶었다. 정말로 그녀를 잊기를, 그러니까 그녀에 대해서 더 이상 쓰고 싶은 욕구를 갖지 않기를. 그녀와 그녀의 욕망과 광기, 그녀의 어리석음과 오만, 그녀의 허기와 말라버린 피에 대해 써야만 한다고 더 이상 생각하지 않기를. 나는 끝내 그렇게 되지 못했다.

언제나 일기 속 문장들엔 'S의 여자아이'나 '1958년 여자아이'에 대한 암시들이 있었다. 20년 동안, 나는 책을 쓰려는 내 계획 속에 '58'이라는 숫자를 적는다. 그건 여전히 쓰지 못한 책이다. 언제나 뒤로 미뤄진. 차마 형언할 수 없는 구멍.

나는 단 한 번, 1958년과 날짜와 요일이 정확히 일치했던 그해를 제외하면, 몇 장을 끼적이는 것 이상 나아가지 못했다. 2003년 8월 16일 토요일, 나는 쓰기 시작했다. '1958년 8월 16일 토요일. 나는 마리클로드에게 5천 프랑을 주고 중고로 산 청바지 — 그녀는 루앙의 엘다에서 1만 프랑을 주고 샀다 — 와 푸른색과 흰색 가로줄무늬가 그려진 민소매 니트 상의를 입고 있다. 이건 내가 나의 육체를 갖고 있는 최후의 순간이다.' 나는 매일, 빠르게, 내가 쓰는 날짜를 1958년의 날짜와 정확히 일치시키려고 노력하면서 글을 이어갔다. 무질서하게 떠오르는 디테일을 하나하나 기록하면서. 중단되지 않는, 매일 매일의 기념일을 챙기는 방식의 이 글쓰기가 45년이란 세월의 간극을 무너뜨리는 데 가장 적합한 것처럼 느껴졌다. 이렇게 날짜상 '하루를 하루에' 일치시키는 행위로 인해 글쓰기가 나를 이 방에서 저 방으로 건너가는 것만큼이나 간단하고 직접적으로 그 여름에 다가갈 수 있게 해주는 것처럼.

아주 금세, 나는 글쓰기 속 사실관계들보다 뒤처졌다. 넘쳐나는 이미지와 말들이 끝없이 잔가지들을 만들어냈기에. 나는 2003년의 수첩에 1958년 여름의 시간을 가둬둘 수 없었고 그 시간은 계속해서 흘러넘쳤다. 글을 쓸수록, 내가 진짜로 쓰고 있는 게 아니라는 느낌을 받았다. 나는 목록 형식으로 작성된 페이지들이 다른 형태로 쓰여져야 한다는 걸 잘 알았지만 어떤 식으로 써야 할지는 알지 못했다. 그걸 찾으려고 하지도 않았다. 나는 사실상 기억을 끄집어내는 순수한 기쁨을 느끼고 있었다. 형식을 찾는 고통을 거부했다. 나는 50페이지에서 쓰기를 멈췄다.

10년이란 시간이 더 흘렀다. 열한 번의 여름이 더해져 1958년 여름 이래 흐른 세월의 간극은 55년에 이르렀다. 그 세월이 흐르는 사이 수많은 전쟁, 혁명, 원자력발전소 폭발이 있었다. 하지만 그 모든 일은 벌써 잊히고 있다.

내 앞에 놓인 시간은 줄어들고 있다. 마지막 애인, 마지막 봄이 있듯 필연적으로 마지막 책도 있겠지만, 그것을 알려줄 징후는 아무것도 없다. 내가 아주 오래전 '1958년 여자아이'라고 명명한 그 아이에 대해 쓰지 못한 채 죽을지도 모른다는 생각이 나를 사로잡고 떠나지 않는다. 언젠가는 기억할 사람이 아무도 남지 않을 것이다. 다른 누구도 아닌 그 여자아이가 경험한 것은 설명되지 못한 채로, 아무 이유도 없이 살았던 것으로 남을 것이다.

다른 어떤 글쓰기 계획도 나에게 생사가 달린 것처럼 보이지 않는다. 내가 시간을 초월해 살 수 있게 해줄 것처럼은. 빛나거나 새로워 보인다는 의미는 아니다. 행복해 보인다는 건 더더욱 아니고. 그저 '삶을 즐긴다'는 생각은 견딜 수가 없다. 글쓰기 계획 없이 살아가는 매순간은 마지막을 닮았으니까.

기억할 사람이 나 혼자뿐이리라는 사실이—나는 그렇게 믿고 있다—나를 기쁘게 한다. 절대적인 힘을 가진 것처럼. 그들, 그러니까 1958년 여름의 다른 이들보다 결정적인 우위에 있는 것처럼. 이 우위는 내 욕망과 루앙 거리를 거닐며 빠져 있던 정신 나간 몽상들에서 비롯된 수치심, 열여덟 살 나이에 늙은 여자처럼 말라버려 더 이상 흐르지 않던 생리혈로 인해 내가 느꼈던 수치심이 나에게 부여한 것이다. 다른 어떠한 것보다 더 다루기 어려우면서 더 세세히 떠오르는 수치심에 대한 이 방대한 기억. 요컨대 이 기억은 수치심이 주는 특별한 선물이다.

나는 악몽에서처럼 앞으로 나아가려는 나를 방해하고 붙잡는 것들을 치워버리기 위해 지금까지 써왔다는 사실을 깨닫는다. 이야기의 시작, 즉 1958년 여자아이를 만나기 위해 내가 하려는 도약의 강렬함을 완화할 방법은, 그 여자아이와 다른 이들을 지금보다 1914년이 더 가까웠던 그해 여름으로 되돌려놓는 것이다.

나는 고전 계열 대입자격시험 용도로 이브토의 생미

셀 기숙학교가 작성한 학생기록부에 붙어 있는 흑백 증명사진을 보고 있다. 살짝 얼굴을 돌리고 찍은 사진에서 나는 반듯한 달걀형 얼굴과 오똑한 코, 두드러지지 않은 광대뼈, 이상하게도 한쪽에는 곱슬머리가, 다른 쪽에는 애교머리 한 가닥이 덮고 있는—틀림없이 이마를 가리기 위해서일 것이다—넓은 이마를 본다. 나머지 짙은 밤색의 머리카락은 올려서 묶었다. 입술은 아마도 부드럽거나 슬프거나 혹은 둘 다라고 말할 수 있을 법한 미소를 짓고 있다. 스탠드칼라와 래글런 소매가 달린 어두운 색 상의는 성직자 옷처럼 금욕적이고 밋밋한 느낌을 자아낸다. 전체적으로 머리 손질을 제대로 하지 않은, 온화하거나 무기력한 인상을 풍기는 예쁘장한 여자아이다. 지금 내 눈에 여자아이는 자기 나이인 열일곱 살보다 더 나이 들어 보인다.

사진 속 여자아이를 응시하면 할수록, 그 여자아이가 나를 지켜보는 것 같은 기분이 든다. 이 여자아이가 나인가? 내가 그녀인가? 내가 그녀이기 위해서 나는,

물리학 문제와 이차방정식을 풀 줄 알아야만 한다

매주 〈본 수아레〉 잡지에 실린 소설을 전부 다 읽어야만 한다

깜짝 파티에 가는 걸 꿈꿔야만 한다

프랑스령 알제리가 지속되는 걸 지지해야만 한다
어머니의 회색 눈이 나를 어디든 따라다닌다고 느껴야 한다
보부아르나 프루스트, 버지니아 울프나 그 밖의 것들을 읽지 않았어야 한다.
이름이 아니 뒤셴느여야 한다.

물론, 미래에 대해서, 1958년의 여름에 대해서도 아무것도 알지 못해야 한다. 단숨에 나는 내 삶의 역사와 세계의 역사에 대해서 기억상실증에 걸려야만 한다.

사진 속의 여자아이는 내가 아니지만 허구가 아니다. 이 세상에 이 여자아이에 대해서 나보다 더 방대하고 고갈되지 않는 정보를 갖고 있는 사람은 없다. 예를 들어 나는 다음과 같은 걸 말할 수 있다.
그녀는 증명사진을 찍기 위해서 2월 방학 중 어느 오후, 가장 친한 친구인 오딜과 함께 시청 광장에 있는 사진관에 갔다.
이마 위의 구불거리는 머리는 밤마다 헤어롤을 감아 만든 것이고, 눈이 온화해 보이는 건 근시 때문이다—알이 두꺼운 안경을 벗고 찍었다.
입술 왼쪽에는 발톱 모양의 상처가 있는데—사진에

는 보이지 않는다—세 살 때 유리병이 깨진 파편 위에 넘어져 생긴 것이다.

그녀가 입고 있는 상의는 양말이며 학업 준비물, 오드콜로뉴 등을 어머니의 가게에 납품하는 페캉의 들룸 포목 도매점에서 산 것이다. 포목점의 행상은 1년에 두 번, 부모님이 운영하는 카페 겸 식료품점의 테이블에 샘플이 든 가방을 연다. 그 행상은 뚱뚱하고 늘 넥타이를 맨 정장 차림인데, 어느 날 그녀의 이름이 〈카우보이의 여자아이〉라는 노래를 부른 대중 가수 아니 코르디의 이름과 똑같다는 이야기를 해서 기분을 상하게 했다.

이런 식으로 계속, 무한히.

그러므로 다른 누구도 그녀만큼 내 기억을 채우고 있지 않다. 그리고 1950년대의 세계—양털 안감을 댄 하프코트, 바스크 스타일의 베레모, 전륜구동차, 당시 유행했던 노래 〈눈의 별〉, 위뤼프의 사제가 저지른 범죄, 사이클 선수 파우스토 코피, 클로드 루터의 오케스트라—를 재현하기 위해, 사람들과 사물들을 그들 본래의 현실 그대로 바라보기 위해, 내가 활용할 수 있는 건 그녀의 기억밖에 없다. 사진 속 여자아이는 자신의 기억을 내게 물려준 낯선 사람이다.

그렇지만 내가 이제 그녀와 아무런 상관이 없다고는

말할 수 없다. 더 정확히 말하자면, 그녀가 이듬해 여름에 되어 있을 그 여자아이와 아무 상관이 없다고는. 체사레 파베세의 『아름다운 여름』, 로저먼드 레이먼의 『모호한 대답』 같은 책을 읽으면서, 혹은 어떤 영화들을 보면서 내가 느꼈던 격렬한 동요가 증명하듯. 나는 글을 시작하기 전에 필요할 것 같아 그 영화들의 리스트를 만들었다.

〈완다〉, 〈불행한 경우〉, 〈수우〉, 〈가방 든 여자아이〉 그리고 지난주에 다시 본 〈애프터 루시아〉.

이런 영화들을 볼 때면 매번 나는, 마치 스크린 속 여자아이에 의해 납치되기라도 하는 것처럼, 그녀가 된다. 오늘날의 나라는 여자가 아니라, 1958년 여름의 그 여자아이가. 그녀는 나를 휩쓸고, 숨을 멎게 하고, 순간적으로 내가 스크린 바깥에 존재하지 않는 것처럼 느끼게 만든다.

50년이란 세월의 간극에도 갑자기 나타나, 마음을 와해시켜버리고 마는 1958년의 그 여자아이는 그러니까 내 안에 숨은 채 확고부동하게 존재하고 있다. 만약 실재라는 것이 사전이 정의하듯 작용하고, 어떤 결과들을 낳는 것이라면, 이 여자아이는 내가 아니지만 내 안에서는 실재다. 일종의 실재하는 현존.

이런 조건에서, 나는 2014년의 여자와 1958년의 여자아이를 하나의 '나'로 녹여내야만 하는 걸까? 아니, 내게, 가장 적합한 게 아니라—주관적인 평가다—가장 대담하다고 느껴지는 방식은 이 둘을 '나'와 '그녀'라는 대명사로 분리하는 것이다. 있었던 사실과 행동들을 가능한 한 상세히 설명하기 위해서. 그리고 가장 잔인하게, 마치 문 뒤에서 누군가가 자기를 '그녀'나 '그'라고 지칭하며 수군대는 걸 듣는 방식으로. 그걸 듣는 순간 우리가 죽고 싶은 기분을 느끼게 되는.

사진 없이도 나는 그녀를 볼 수 있다. 8월 14일 이른 오후 루앙에서 출발한 기차를 타고 S에 내리는 아니 뒤셴느를. 머리카락은 동그랗게 말려 뒤통수에 수직으로 묶여 있다. 근시 안경을 쓴 탓에 눈이 작아 보이지만 안경이 없으면 안개 속을 걷는 것이나 마찬가지다. 그녀는 남색 칠부 길이 외투, —로덴 울로 만든 베이지색 코트로, 2년 전 줄이고 염색한 것이다— 두툼한 트위드 펜슬 스커트— 마찬가지로 사이즈를 줄였다— 그리고 남색 줄무늬 니트를 입었다. 손에는 회색 여행가방—6년 전 아버지와 루르드 여행 갈 때 산 후 한 번도 쓴 적이 없어 새것이나 다름없다—과 이브토의 시장에서 일주일 전에 산, 하얀색과 파란색으로 이루어진 플라스틱 버킷 백을 들고 있다.

여행 내내 기차의 차창을 두드리던 비는 그쳤다. 해가 난다. 그녀는 로덴 코트와 두꺼운 겨울 치마 때문에 너무 덥다. 내가 바라보는 건 키가 크고 건장하며 학구적인 분위기에, 튼튼하고 좋은 직물을 가지고 '손으로 만든' 옷을 입고 있는 중간 계층 출신 시골 여자아이이다.

그 옆에는 조금 더 작고 각진, 오십대 정도 되는 여자의 실루엣이 보인다. '점잖아' 보이는 그녀는 투피스 차림에 붉은색 파마머리를 했으며, 권위적인 느낌이 들도록 고개를 꼿꼿이 들고 있다. 내가 바라보는 건 어머니, 근심과 의심, 불만이 뒤섞인, '불의에 사태에 대비하는' 어머니의 평상시 표정이다.

나는 그 여자아이가 정확히 바로 그 순간 무엇을 느끼는지 알고 있고, 그녀의 욕망, 그녀 안에 있는 단 하나의 욕망이 어머니가 서둘러 떠나는 것, 반대 방향으로 가는 열차를 타는 것이란 걸 안다. 그녀는 어머니 옆에 나란히 서 있는 모습을 사람들이 본다는 사실이, 보름 있으면 열여덟 살이 되고 지도강사로 채용되어 가는 길인데도 꼬맹이처럼 어머니 손에 이끌려 여름캠프에 간다는 사실이 창피하고 화가 나 속을 끓이고 있다. 어머니는 루앙에서 기차를 갈아타야 한다는 이유로 그녀 혼자 여행하지 못하게 했다.

나는 그녀를 바라보고 있지만 듣지는 못한다. 1958년의 내 목소리를 녹음한 기록은 하나도 존재하지 않고, 기억은 우리가 발음한 말들을 소리 없는 형태로 다시 베껴 쓸 뿐이다. 내가 그때까지도 끝을 끄는 노르망디식 억양을 가지고 있었는지에 대해서는 말할 수 없다. 그렇지만 나는 집안 어른들과 비교하며 그 억양을 없앴다고 생각했을 것이다.

방학 캠프 차량의 운전사가 기차역 앞에 차를 세우기 직전에, 얼른 차에 올라타려는 의지를 분명히 보이려고 재빨리 어머니에게 입을 맞추고 당황해하는 어머니를 인도 위에 남겨둔 채 서두르는 이 여자아이에 대해서 나는 무엇을 말할 수 있을까? 여행 중 화장이 지워진 어머니의 얼굴에 슬픔이 번진다. 하지만 그녀는 그런 어머니의 모습에 상관하지 않을 것이다. 나중에 어머니가 그날 저녁 루앙으로 가는 기차가 없어 캉의 호텔에서 하룻밤을 보내야만 했다는 사실을 알게 되었을 때도 개의치 않을 것처럼. 분명 어머니에게는 더 잘된 일이었을 거라고, 혼자 S까지 가게 해줬으면 그만이었을 거라고 생각하면서.

그러니까 거기에 존재했던 모습 그대로를 드러내고 있는 그녀에 대해서 말하기 위해 나는 무엇을 선택할 것인가? 8월의 그날 오후, 오른 지방의 변덕스러운 하늘 아래, 사흘 후면 영영 뒤에 남겨두게 될 것이 무엇인지도 모르는 채, 50년이 훨씬 지나면 사라져버릴, 하찮은 그 시간 속에 존재했던 그녀에 대해서.

만약 그녀가 안경을 벗지 않았다면, 올린 머리를 어깨 위에서 찰랑거리도록 풀지 않았다면 일어나지 않았을 일—혹은 일어났을 일—에 대한 설명으로—혹은 단지 설명만은 아닌 것으로—고려할 수 없는 것들은 무엇인가? 하지만 그런 것들은 어머니의 눈에서 벗어난 이상 충분히 예상 가능한 행동이었다.

내 머릿속에 즉시 떠오르는 생각. 욕망과 자만심, 그녀의 마음속에 있는 건 이게 전부라는 것. 그리고 그녀는 사랑을 경험하기를 기다리고 있다.

나는 마치 아무것도 더 말할 필요가 없는 것처럼, 이 뒤에 이어질 일을 이해하기 위해 우리가 알아야 할 건 이게 전부인 것처럼 여기에서 멈추고 싶다. 그렇게 하는 건 낭만적 허상인 소설 주인공을 정의하기에 알맞은 방식이다. 하지만 계속해야만 한다. 그녀의 욕망과 자만심, 기다림을 바로 그 순간 꽃피우게 만든—사회적, 가족적, 성적—기반이 무엇이었는지 정의하고, 자부심을 느끼는 이유와 꿈을 꾸는 원인이 무엇이었는지를 발견해야 한다.

말할 것. 그녀는 처음으로 부모님과 떨어져 지내는 것이다. 한 번도 자기 굴을 벗어난 적이 없었다.

열두 살 때 아버지와 함께 장거리버스를 타고 간 루르드 여행과 아침에 카르멜 수녀회와 성당에서 기도를 하고 나면 버스 운전기사가 순례자들을 트루빌 해변에 내려놓던, 매해 여름마다 리시유에서 의례적으로 보내던 하루를 제외하면 그녀의 삶은 유년기부터 부모님의 카페 겸 식료품점과 수녀들이 운영하는 생미셸 기숙학교 사이에서 흘러갔는데, 기숙하는 학생이 아니었기 때문에 하루에 두 번 똑같은 길로 집과 학교를 오갔다. 방학 때는 이브토에 남아 마당이나 자기 방에서 책을 읽었다.

과보호를 받는 외동으로서—왜냐하면 첫 번째 딸은 여섯 살에 죽었고 그녀 역시 다섯 살에 파상풍으로 죽을 뻔했기 때문에—바깥세상은 그녀에게 금지된 건 아니었지만, (아버지에게는) 두려움의 대상이었고, (어머니에게는) 의심의 대상이었다. 외출하려면 나이가 좀 더 많은 사촌이나 학교 친구와 함께 가야 했다. 깜짝 파티에 한 번도 가질 못했다. 처음으로 석 달 전 벨기에 광장에 세워진 천막 아래 열린 카니발 무도회에서 춤을 추었는데, 그때 어머니는 의자에 앉아 그녀를 감시하고 있었다.

그녀가 사회적으로 얼마나 무능한지에 대해서 나열하자면 끝이 없다. 전화통화를 할 줄 모르고, 샤워를 하거나 목욕을 한 적도 없다. 가톨릭 집안으로 농부 출신이며 서민 계층인 자기 가족이 속한 환경 외에는 경험해본 것이 없다. 이렇게 시간적 거리를 두고 떠올리니 매너와 언어가 몹시 불안정한 그녀는 서툴고 부자연스러우며, 심지어는 상스러운 말투를 지닌 듯 보이기까지 한다.

그녀의 인생에서 가장 강렬한 순간들은 글을 깨우친 이래 줄기차게 읽어대는 책들 속에 있다. 그녀가 아는 세상은 책과 여성지를 통해 배운 것이다.

그녀의 영토인 집에서, 식료품점 딸은—동네 사람들은 그녀를 그렇게 부른다—완전한 권리를 누린다. 그녀는 사탕이 든 병과 과자 통을 마음대로 뒤져 꺼내먹고, 방학 동안 정오까지 침대에서 책을 읽으며 빈둥댄다. 식탁을 차리는 법이 절대 없고, 신발을 광내지도 않는다.

그녀는 여왕처럼 살고 행동한다.

여왕의 자부심을 지니고. 자신이 1등을 한다는 사실이나—그건 자연스러운 일이었다—마리아 성찬회 소속 교장선생님으로부터 '기숙학교의 영광'이라고 불린다는 사실보다 수학과 라틴어, 영어, 작문, 문학 등 주변 사람 누구도 알지 못하는 걸 배운다는 사실 때문에 더욱 우쭐했다. 예외적인 존재라서, 친척들로부터 예외적이라고 인정받기 때문에 자부심을 느꼈다. 노동자인 친척들은 명절 식사를 할 때면 그녀가 배움의 '재능'을 '누구로부터 물려받았는지' 궁금해하곤 한다.

나는 다르다는 자부심:

전축으로 글로리아 라소나 이베트 오르네가 아니라 조르주 브라상과 골든게이트 콰르텟을 듣는다는 점

잡지 〈우리 둘〉 대신 『악의 꽃』을 읽는다는 점

일기를 쓰고, 시와 작가들의 문장들을 필사한다는 점

비록 미사를 빠지는 법이 없고 축일에 영성체를 하지만 신의 존재를 의심한다는 점. 그녀는 틀림없이 불확실한 지대, 신앙과 무신론 사이의 중간에 있다. 종교의 신화적인 면을 점점 덜 중요하게 생각하지만 기도와 미사, 성사 예식에 대해서는 애착을 느낀다.

다르다는 데서 기인한, 권리처럼 여겨지는 욕망들에 대한 자부심:

어머니의 눈에서 벗어나 이브토를, 학교를, 마을을 떠나기, 그리고 원하는 걸 하기(밤새 읽기, 줄리에트 그레코처럼 검은 옷 입기, 대학생들이 가는 카페를 드나들고, 루앙의 보부아진 거리에 있는 라카오트에서 춤추기)

기숙학교의 유복한 학생들이 주고받는 기호들—바흐 음반, 서재, 〈레알리테〉 잡지 구독, 테니스, 체스, 연극, 욕실 등—때문에 매력적이면서도 위협적으로도 느껴지는 미지의 세계로 가기. 하지만 그곳은 응접실도 다이닝룸도 없으며 오직 카페와 식료품점 사이에 끼어 있는 아주 작은 주방만 있을 뿐, 변소가 마당에 있는 자신의 집으로 친구들을 초대하지 못하게 만드는 기호들로 가득한 세계다. 7월 한 달 동안 자신이 이비치가 되어 푹 빠져 살게 한 사르트르의 소설 『이성의 시대』에서처럼 사람들이 시와 문학을, 삶과 자유의 의미에 대해 이야기를 나누리라 상상하는 세계.

그녀는 일정한 '나'를 갖고 있지 못하다. 그저 한 권의 책에서 다른 책으로 흘러가는 여럿의 '나'를 가질 뿐이다.

나는 자신의 지적 능력과 167센티미터의 키, 엉덩이

와 허벅지에 이르기까지 탄탄한 육체에 대해 대담하게 확신하는 그녀를 알고 있다. 〈모두를 위한 독서〉 잡지에서 오려둔 수틴의 〈붉은 계단〉 복제화를 보며 그린, 자신의 미래에 관한 추상적인 믿음을 가지고 있는 그녀를.

나는 울타리를 벗어난 암망아지처럼 캠프에 도착하는 그녀를 바라본다. 처음으로 혼자, 자유롭게, 약간 두려움을 느끼는. 자신과 닮은 부류와 만나기를, 닮은 부류일 거라고 상상하는 사람들과 만나기를 갈망하면서. 그들도 자신이 그들과 닮은 부류라는 걸 알아채줄 사람들을.

어머니는 남자아이들이 악마라도 되는 듯 늘 그들을 멀리하게 했다. 그녀는 열세 살 이후로 끊임없이 남자들에 대해서 꿈꿨다. 그들과 말하는 법을 알지 못했고, 이브토의 거리에서 남자아이들과 대화를 나누며 서 있는 다른 여자아이들을 볼 때마다 도대체 어떻게 그렇게 하는 것인지 궁금했다. 불과 몇 달 전에야 처음으로 농업학교에 다니는 한 남자애와 입맞춤을 했는데, 애정행각을 하는 동안 아무 말도 하지 않았으며—그 역시 말을 하지 않았다—어머니의 감시에서 벗어나려고 수많은 꾀를 내야 했다. 미사를 대부분 빼먹기, 치과에 대기

줄이 끝도 없이 길었다고 거짓말하기 등등. 벌을 받을까 막연히 두려워 1차 대입자격시험을 보기 직전에 남자아이와의 관계를 끝냈다.

그녀는 한 번도 남자의 성기를 보거나 만진 적이 없었다.

(그녀가 얼마나 무지했는지 보여주는 기억 한 토막: 같은 반 여자아이 한 명이 기숙사에서 제공한 가톨릭 다이어리 속 폴 클로델의 인용구를 키득거리며 그녀에게 보여줬다. '인간에게는 자기의 전부를 주는 것만큼 행복한 일은 없다.*' 그녀는 이 문장이 어째서 외설스러운지 이해하지 못했다.)

그녀는 성관계를 경험하고 싶어 죽을 지경이었지만 오직 사랑하는 사람이랑만 하고 싶었다. 『레미제라블』의 코제트와 마리우스가 첫날밤을 함께 보내는 장면을 외우다시피 했다. '천사는 손가락을 입술에 가져다 댄 채 초야의 문지방에 미소 지으며 서 있다. 사랑을 축하하는 이 성스러운 장소 앞에서 영혼은 사색에 잠긴다.'

방학 캠프의 문턱에 있던 당시의 '내'가 간직하고 있

---

* 프랑스어에서 인간을 뜻하는 'homme'는 남자를 뜻하기도 하기에, 반 친구는 이 인용구에서 남자의 사정에 대한 암시를 읽어낸 것이다.

던 성행위에 대한 상상을 어떻게 기억할 수 있을까?

그 당시 완전한 미지의 영역이자 존재의 경이로움이었던 것에 대해 품은 기대와 절대적인 무지를 어떻게 다시 불러일으킬 수 있을까? 어린 시절부터 속삭이는 말들은 많았지만 누구도 제대로 보여주거나 묘사해준 적 없던 비밀 중의 비밀. 삶의 향연과 본질에 들어서게 해주는, 신비로우며—오, 하느님, 제발 제가 하기 전에 죽지 않게 해주세요—생리주기 피임법 시대에 금기와 그 결과가 불러올 공포가 무겁게 짓누르던 이 행위. 가장 끔찍한 점은, 한 달에 한 번 생리 전 일주일 동안은 '자유'로워도 된다고 유혹한다는 것이다.

내 기억은 욕망과 금기, 신성한 경험에 대한 기대와 '처녀성을 잃는다'는 두려움이 뒤얽혀 있던 심리 상태를 복원하는 데 실패한다. 처녀성을 잃는다는 표현이 지녔던 놀라운 힘은 내 머릿속에서, 프랑스인 대부분의 머릿속에서 사라졌다.

나는 여전히 방학 캠프의 현관 입구를 넘어서지 못했다. 알아볼 수 없게 만들지도 모르는 위험을 무릅쓰면서, 사회적이고 심리적인 결정요인들이나 그녀를 그리기 위한 밑그림이 계속 부족하기라도 한 것처럼, 마치 가능한 한 가장 세밀하게 그녀라는 '인물상을 만들고' 싶은 것처럼, 나는 1958년의 여자아이를 설명하는 데 공을 들이느라 앞으로 나아가지 못하고 있다. 그저 '지방의 가톨릭 학교에 다니고, 서민 가정 출신이며 지적인 중산층 보헤미안이 되길 열망하는 모범생' 정도로 요약할 수 있는데도. 아니면 잡지의 말투를 본떠서 '자아존중감을 가지고 자란 여자아이' 또는 그것을 변주해 '넘치는 자기도취에 빠져 있는 여자아이'라고 요약할 수도 있을 것이다. 방학 캠프로 향하는 차에 올라탄 그 여자아이가 내가 만든 인물상에서 자기 자신을 알아볼 수 있을지는 모르겠다. 틀림없이 그녀는 자기 자신에 대해 그렇게 생각하지도, 말하지도 않을 것이다. 자유나 반항에 대해 말하는 사르트르나 카뮈의 문장들로 설명할지는 몰라도. 나는 무엇보다 그 순간, 그녀가 어린애들을 돌본 경험이 전혀 없고, 연수를 받기 위해 요구되는 최소한의 나이—열여덟 살—보다 어린 탓에 지도강사가 되기 위한 어떤 교육도 받지 못한 채 방학 캠프에 채용되어 잔뜩 긴장했다는 걸 알고 있다.

그녀의 언어, 그녀의 내밀한 목소리를 구성하던 모든 언어를 되찾는 건 불가능하겠지만—『그들의 말 혹은 침묵』을 쓸 때 가능하리라 믿었던 것처럼 그 언어를 재현하려 해봤자 소용없는 일이다—적어도 1년 전 기숙사를 떠났던 반 친구에게 보낸 편지들 속 몇 문장을 통해 그 말들을 엿볼 수는 있을 것이다. 친구는 그 편지들을 2010년에 되돌려주었다. 편지들은 모두 고등학교에서 유행하던 식으로 '사랑하는 마리클로드' 혹은 '달링'으로 시작하고 '바이바이' 혹은 '차오'로 끝난다. 캠프에 도착하기 몇 달 전 쓴 편지에는 다음과 같은 말들이 있다.

'춥고 지루하고 숨 막혀서 모두가 죽어가는 이 감옥[기숙사]를 어서 떠나고 싶어' 혹은 '이 끔찍한 도시, 이브토'

'수녀들 부러우라고 머리를 땋고 매니큐어를 칠하고 벨트를 하지 않고 기숙사복을 입었어.'

'젊다는 건 끝내주는 일이야! 나는 결혼이란 족쇄를 찰 생각이 없어.'

1958년 여자아이는 '자유'롭고, '현대적'이며 '첨단'으로 보이는 모든 것을 좋게 평가했고, '원칙적인 여자아이들'이나 '눈가리개를 한 여자아이들' 혹은 '돈 많은 남편을 찾는' 여자아이들을 비난했다.

그녀는 프랑스어 작문 숙제를 '아주 좋아'해서, 친구에게 보내는 편지에 작문 주제를 베껴 적는다. 라블레는 수수께끼인가? 부알로는 '이성을 사랑하라'라고 말했고,

뮈세는 '이성을 버려라'라고 말했다, 등등.

편지 내용은 오직 학교 생활과 독서(사강, 카뮈, '어렵다'고 일컬어지는 『반항하는 인간』), 미래와 전반적인 실존에 대한 것들뿐이다. 편지는 떨리고 흥분한 어조로 쓰여 있다. '삶은 살 만한 가치가 있어'라는 선언은 여러 번 등장한다. 그녀가 참석했던 이브토의 카니발 무도회와 관련해서는 '절제되지 않은 소용돌이 속에서 나는 처음으로 놀라운 행복 비슷한 것을 맛보았고 생각한 걸 분명히 표현했단다. '나는 행복해'라고 말했으니까'라고 썼다.

부모님에 대한 이야기는 전혀 없다.

편지들은 진실해 보이지만 여기에는 취향과 감각, 삶과 타인에 대한 자세가 마리클로드와 비슷함을 드러내고자 하는 욕망이 틀림없이 배어 있다. 독창적이고 권위를 무시하는 성격에, 엔지니어인 아버지의 서재에서 꺼낸 현대 소설을 읽는다는 점들 때문에 마리클로드는 선망의 대상이자, 나은 세계로 건너가게 해줄 안내인이었다.

그보다는 붉은 표지의 1958년도 수첩—치즈 납품업자에게 받은 커다란 영업용 수첩으로, 몇 번의 이사에도 버려지지 않았다—속 정성스럽게 필사한 작가들의 문장이나 시를 통해 당시 나의 내밀한 목소리를 단편적으로나마 파악할 수 있을 가능성이 가장 크다. 그 시절의 여자아이가 자신이 속한 계층의 언어가 지닌 난폭함과 단조로움을—그녀는 그렇게 생각했다—넘어 자신의 존재를 이상적으로 그려 보이는 말로, 대리자를 내세워서 자기 자신에 대해 이야기하는 건 바로 그곳이다.

프레베르의 이십여 편의 시 옆에, 쥘 라포르그와 뮈세의 시 몇 편과 발췌된 시구들:

나는 내 인생을 받았다 따귀 맞듯이
미지의 여자에게 휘파람을 불듯이
알지 못하면서 인생을 따라갔다(피에르 로아조).

프루스트의 문장들, 폴 크루제의 『프랑스 문학사』에서 발췌한 기억에 관한 모든 것. 그밖에 출처를 잊어버린 다른 것들도 있다.

우리가 즐길 때 알아채는 행복 말고 진정한 행복은 없다(알렉상드르 뒤마 피스).

모든 욕망은 욕망한 것을 언제나 거짓되게 소유하는 것보다 나를 더욱 풍요롭게 했다(앙드레 지드).

이제 여자아이는 여름방학 캠프에 들어가려 한다.

그녀는 내 바깥에서 실제로 존재하고, 이름은 S요양원의 연보에 기록되어 있다. 연보가 아직 보관되어 있다면. 아니 뒤셴느. 나의 결혼 전 이름. 너무 억세게 들린다고 생각했던 아버지의 성. 나는 아버지의 성을 별로 좋아하지 않았는데 어쩌면 어머니가 말하듯 우리 집안의 나쁜 쪽으로부터 물려받은 것이었기 때문인지도 모른다. 나는 더 부드럽고 조용하게 들리는 어머니 쪽의 성, 뒤메닐을 더 좋아했다. 뒤셴느, 그것은 내가 6년 뒤 루앙 시청에서 별 아쉬움 없이, 어쩌면 안도감까지 느끼며 잃어버린 나의 성이다. 부르주아의 세계로 넘어가는 일과 S를 지워버리는 일에 동시에 찬성하면서.

그 장소 역시 실제로 존재하는데, 그곳은 시간의 흐름과 함께 내 기억 속에서 『위대한 몬느』나 『지난해 마리앙바드에서』에 나오는 이미지들이 뒤섞여 성 같은 것이 되어 있었다. 1995년 가을, 생말로에서 차로 돌아오는 길에 그 장소를 찾아보려 했지만 찾을 수 없었다. 할 수 없이 S의 대로에 차를 세우고 담배가게 점원에게 요양원에 가려면 어떻게 가야 하느냐고 물었지만 점원은 그 단어에 대해서 한 번도 들어본 적 없다는 듯 멍한 표정이었다. 나는 그녀가 길을 가르쳐줄 수 있길 바라며 다시 설명해야만 했다. '아마 옛날 의료 교육 기관이었을 거예요.' 이제야 인터넷을 통해서 겨우 찾아낸 그 장소는 놀랍게도 중세 시대에 세워진 수도원으로, 수 세기에 걸쳐서 부서졌다가 재건되고 형태가 바뀌었다. 문화재의 날을 제외하면 방문객에게 개방되지 않는다.

여름이 되면 그 요양원은 수백 명의 허약하고 '성격 장애를 지닌' 어린아이들로 이루어진 캠프단을 두 번 연달아 수용할 수 있는 대규모의 '보건 캠프' 장소로 바뀌었는데, 의사 한 명과 간호사들, 체육교사 두 명, 삼십여 명의 지도강사가 아이들을 관리했다. 하지만 수도원의 모습을 담고 있는 오늘날의 사진에서는 요양원이었을 때의 흔적을 조금도 찾아볼 수 없다. 반대로, 1958년 8월 말 오딜에게 보낸 엽서에는 그 장소의 역사적 성격에 대한 언급 따위는 전혀 없었다. 오딜은 또 다른 친한 기숙사 친구로, 마리클로드와는 다른 방식으로 친했다. 왜냐하면 오딜은 농부의 딸이었고, 식료품점 딸과 농부의 딸 사이에는 사회적 친밀감이 아주 깊었기 때문에 자기 자신에 대해 설명할 필요가 없었으며, 그들끼리 있을 때는 웃으면서 사투리로 몇 마디를 주고받는 걸로 충분했다. 몇 년 전 오딜이 내 부탁으로 복사해준 그 엽서에서 나는 하늘에서 찍은 위엄 있고 근엄해 보이는 오래된 건물을 볼 수 있다. 살짝 황토색이 도는 돌로 된 그 건물의 길이와 높이가 서로 다른 세 개의 익부는 눕혀놓은 T자 형을 이루는데, T자의 세로 부분이 오른쪽으로 살짝 치우쳐 있다. 가장 짧은 익부는 예배당을 연상시킨다. 입구의 웅장한 포치에는 수위실이 두 개 나란히 세워져 있다. 건물은 전체적으로 보았을 때 각기 다른 시대의 산물처럼 보이지만 18세기 양식이 주를 이루고 있다. 운동장은 두 개의 익부 사이에 있다. 포치의 왼쪽에는 전후 건축 양식으로 지은 조그만 건물들이 있다. 오른쪽에는 끝이 보이지 않는 공원이 펼쳐져 있고, 사진에서 보이는 모든 부분은 벽이 둘러싸고 있다. 사진 뒷면에는 다음과 같이 적혀 있다. S의 요양원 […] — 오른.

아니 뒤셴느를 1958년 8월 14일의 그곳으로 들여보내려 하는 순간, 나는 무기력한 상태에 빠져든다. 이건 대개의 경우 내가 명확히 정의할 수 없는 어떤 어려움 앞에서 글쓰기를 포기하려 할 때 찾아오는 전조다. 기억력이 부족해서 어려움을 느끼는 건 아니다. 오히려 나는 기억 속 이미지들 — 방, 원피스, 에마이 디아망 치약 등등(기억은 미치광이 소품 담당자나 다름없다) — 이 서로 이어지게 내버려두지 않고, 나를 의미 없는 영화에 넋 잃은 관객으로 만들지 않도록 저항해야만 한다. 내가 직면한 문제는 차라리 이런 것이 아니었을까? 이 여자아이,

아니 D의 행동과 행복, 고통을 반세기 전 사회의 신념과 규칙에 따라, 그녀도 캠프의 다른 누구도 속하지 않았던 더 '진보된' 사회의 소수를 제외한 당시 모든 사람에게 명백했던 정상성에 따라 파악하고 이해하는 일.

다른 이들.

나는 그들의 성과 이름을 인터넷 전화번호부에 입력해보았다. 남자들의 이름부터. 흔한 성의 경우, 같은 이름이 너무 많이 나와서 아무것도 나오지 않은 거나 마찬가지였다. 이 자크 R들 중에서 1958년 여름방학 캠프에 있었던 사람이 누구인지 알 수 있게 해주는 지표는 아무것도 없었다. 그들의 정체는 군중 속으로 흩어졌다. 몇몇 이름들은 바스노르망디 지역에 주소지가 있어서 내가 찾고 있는 사람들과 관련이 있을지도 모른다고—어쩌면 잘못 생각하는 것일지도 모르겠지만—확신하게 했다. 나는 그들이 1958년에 이미 거기에 살고 있었다고 기억했는데, 그렇다면 그들이 젊은 시절 살았던 지역을 한 번도 벗어나지 않았다는 의미였다. 그 깨달음이 나를 혼란스럽게 했다. 마치 그들이 한 장소에 자신들을 고정시켜 변하지 않고 똑같이 머물고, 그들의 지리적 정체성이 그들 존재의 항구성을 보증해주는 것처럼.

여자아이들의 이름을 찾아봤다. 그중 어느 것도 맞는 이름처럼 보이지 않았다. 아마도 대부분 내가 그랬듯 결혼하면서 이름이 바뀌었거나 '당신의 과거 지인들이 쉽게 당신을 찾을 수 있도록 처녀 시절 성을 제공해주세요'라는 전화번호부의 친절한 제안에 응하지 않은 것이 틀림없었다.

조사를 구글로 확대해나갔다. '옛 친구' 사이트에서 메종 알포르 수의학교에 다니던 학생을 디디에 D라고 확신하며 찾아냈고, 완전히 확신할 수 없었지만 북쪽 지방 출신의 기 A도 찾아냈는데 그는 릴과 주변 지역의 스포츠 관련 사이트에 자주 등장했다.

나는 다시 전화번호부로 돌아왔고 이름들을 입력했다. 1958년 여름 이후 침몰해 있던 존재들을 하나씩 끄집어내려고 애쓰는 반짝이는 림보의 가장자리에서처럼, 모니터 앞에 홀린 채로.

이 사람들이 그들이었을까? 프랑스 텔레콤*이 지도 위에 푸른색 동그라미로 그들의 위치를 표시해주는 이 사람들이? 최대로 확대하면 하늘에서 찍은 사진 속 지

* 1988년 창립한 프랑스의 통신회사

봉처럼 보이는 짙은 점 아래, 위치를 지정해주는 그 작은 파란 동그라미가 표적처럼 감싸고 있는 그 점 아래 살고 있는 이들이?

나는 그들에게, 심지어는 그들인지 확신할 수 없는 이들에게까지, 1950, 60년대 방학 캠프에 대한 설문조사를 한다는 핑계를 대고 전화를 걸어보면 어떨까 하는 생각을 잠시 장난처럼 해봤다. 나는 내가 기자인 척하고 질문하는 상상을 했다. 1958년 여름 S에 있었나요? 다른 지도강사들을 기억하시나요? 지도강사들의 책임자였던 H는요? 여자 지도강사인데, 계속 지도강사로 있었던 건 아니고 금세 의료 담당으로 재배정된 아니 뒤셴느라는 여자는요? 키가 큰 편이고, 긴 갈색머리에, 안경을 꼈던 여자아이요. 그 아이에 대해서 무슨 이야기를 해주실 수 있나요? 그들은 나에게 틀림없이 왜 그 여자아이에게 관심을 갖느냐고 물을 것이다. 아니면 내가 잘못 걸었다고 말할 수도 있다. 아니면 그냥 바로 끊어버리거나.

그다음, 나는 내가 왜 그런 일을 하고 싶어하는지, 내가 찾는 것이 무엇인지 생각해보았다. 그들이 아니 D에 대해 아무런 기억도 갖고 있지 않다는 걸 확인하기 위해서는 아니었다. 그들이 그녀를 기억하고 있다는 걸—무시무시한 가정이지만—확인하기 위해서는 더욱 아니었고. 사실 내가 원했던 한 가지는 그들의 목소리를 듣는 것이었다. 내가 그 목소리를 알아들을 가능성이 매우 적다 하더라도, 그들의 존재를 확인할 수 있는 신체적이고 감지되는 증거를 갖는 것. 마치 내가 계속 쓰기 위해 그들이 살아있을 필요가 있는 것처럼. 사람들을 허구의 존재라는 비물질성으로 만들어버리는, 그들의 죽음이 가져다주는 평온 속이 아니라 살아 있는 사람이 주는 위험 속에서, 살아 있는 사람에 대해서 쓸 필요가 있는 것처럼. 글쓰기를 지속하기 어려운 시도로 만들 필요. 글쓰기가 지닌 권능을—수월함은 아니다. 아무도 나만큼 쓰는 걸 힘들어하진 않는다—글쓰기가 가져올 결과를 상상하며 느끼는 공포로 속죄할 필요.

이제 와 생각하는 거지만, 폭로를 해서 그들을 위태롭게 만들고, 나 자신이 그들에 대한 최후의 심판자가 될 수 있게끔, 그들의 존재를 확인해두려는 변태적 욕망이 내게 있는 게 아니라면 말이다.

이제 그녀가 들어갔다. 자연스럽게도, 그녀가 지난 몇 주 동안 요양원에 대해서 상상했던 것들은 돌로 된 웅장한 계단과 기둥들이 세워진 긴 구내식당, 어지러울 정도로 천장이 높은 거대한 공동침실, 지도교사들을 위한 방 문이 줄지어 선 맨 꼭대기층의 좁고 어두운 복도를 보는 순간, 모두 지워진다. 가장 안쪽 끝에 있던 그녀의 방에는 함께 그 공간을 나눠 쓰는 지도강사—숱 많은 갈색 곱슬머리에, 커다란 검은 테 안경을 쓴 자니—가 창가 쪽 침대를 이미 차지했고, 옷장 절반에 자신의 물건들을 정리해두었다. 내가 역 앞에서 보았던 여자아이의 활기찬 자신감은 사라졌다. 새로 도착하는 사람들과 만나면 만날수록 그녀는 모두가 자연스럽고 확신에 찬 태도로 행동하는 것 같다고 느낀다. 그들은 무엇에도 놀라는 법이 없는 것 같다.

그녀에겐 모든 것이 새롭다.

첫날 밤, 그녀는 곧장 잠들어버린 룸메이트의 숨소리가 신경 쓰여 잠들지 못하고 깨어 있다. 알지 못하는 사람과 함께 잠을 자본 적이 한 번도 없었다. 침실의 공간이 자기 것이 아니라 룸메이트의 것이 된 듯 느낀다.

다른 지도교사들은 일반 고등학교나 사범학교에서 왔다. 상당수는 이미 일자리를 가지고 있다. 몇몇 남자아이들과 여자아이들은 요양소에서 1년 내내 교육 전문가로 일한다. 가톨릭 학교를 다니다 온 사람은 그녀가 유일하다. 그녀는 분명 생미셸 기숙학교를 혐오했지만, 세속적인 세상, 예를 들어 8월 15일이 그저 아이들이 캠프에 오는 날일 뿐 성모 마리아가 승천한 축일이 아닌 세상은 경험해본 적이 없다. 그녀는 난생처음으로 승천일 미사에 가지 않을 것이다. 첫 번째 점심식사 시간에, 사람들이 그녀에게 은어로 어떤 학교에서 왔냐고 물었다. 약간 망설인 끝에, —그녀에게 그 은어는 택시나 궤짝을 가리키는 단어였다—루앙의 잔다르크 고등학교에 다닌다고 답했다. 사람들이 이런저런 여학생을 아느냐고 물어서, 이제 겨우 전학을 해서 다음 학기부터 그곳에 다닐 것이며 지금까지는 가톨릭 기숙학교를 다녔다고 실토할 수밖에 없었다.

남녀가 섞여 있다는 사실이 그녀를 혼란스럽게 한다. 그녀는 같은 일을 하는 여자아이들과 남자아이들 사이의 단순한 동료 관계를 받아들일 준비가 되어 있지 않다. 이것은 새로운 상황이다. 기본적으로, 그녀는 남자아이들이 여자아이들의 꽁무니를 쫓아다니는 길거리에서, 자신을 방어하면서 동시에 상대를 유혹하기 위해 사용하는 조롱과 추파로 이루어진 속된 말싸움 말고는 남자들과 말하는 방법을 알지 못한다. 아이들이 도착하기 전에 열린 회의에서 열다섯 명의 남자들을 훑어보지만,

자신이 꿈꿨던 사랑 이야기에 걸맞은 듯 보이는 사람을 단 한 명도 찾지 못했다.

캠프 초반에 관한 두 가지 이미지:

해가 쨍한 잔디밭 위, 점심시간이고, 구내식당 문 앞이다. 백여 명의 아이들이 낙엽색 조끼와 바지를 입은 우아한 책임자의 멋들어진 지휘 아래 모여 처음에는 조용히, 그러다 점점 더 크게, 소름이 끼칠 정도로 천둥처럼 요란하게 노래를 부르다가, 다시 겨우 들릴락 말락 속삭인다. 아버지! 어머니! 이 아이는 눈이 하나밖에 없어요! 아버지! 어머니! 이 아이는 이가 하나밖에 없어요! 오, 하느님, 정말 골칫거리로군요. 눈이 하나밖에 없는 아이라니. 오! 하느님, 정말 골칫거리군요. 이가 하나밖에 없는 아이라니.

공원의 잔디밭에서, 푸른 반바지와 티셔츠 유니폼을 입은 열두 명의 아이들이 그들을 활기차게 데리고 온 포니테일을 한 금발 지도강사를 둘러싸고 춤을 춘다. 팔짱을 낀 채, 한 번은 왼쪽으로 한 번은 오른쪽으로 스텝을 옮기며 노래를 부르면서. 내 신발, 내 신발은 구멍투성이지. 나는 재즈광이야, 나는 재즈광이야.

나는 잊히지 않고 계속 떠오르는 이 이미지들 속에서, 엄격하게 조직된 세계, 호루라기 소리에 통제되며 자유롭고 즐거운 분위기 속에서 행진곡풍 노래에 박자를 맞추는 이 세계에 매혹된 1958년의 여자아이를 본다. 책임자부터 간호사까지 모두 유쾌하고, 어른들이 처음으로 그녀에게 견딜 만하게 느껴지는 사회. 모든 욕구가 이브토의 기숙사에서는 상상도 하지 못한 넉넉한 음식과 놀이, 여러 활동으로 풍요롭게 채워지는 이상적이고 폐쇄된 세계. 나는 이 새로운 세계에 적응하고 싶어하는 그녀의 욕망과 그렇게 하지 못할까 봐, 이상적인 모범으로 보이는 금발 지도강사처럼 되지 못할까 봐 막연히 두려워하는 그녀를 바라본다. 그녀는 하느님이 언급되지 않는 노래를 한 곡도 알지 못한다. (그녀는 둘째 날, 자신이 한 조를 혼자 담당하는 대신 지도강사들이 휴가를 떠나면 그 자리를 대신 채워주는 '떠돌이 강사'가 될 거라는 이야기를 듣고 안심한다.)

그녀가 방학 캠프에 온 지 사흘째다. 토요일 저녁. 공동침실에는 모든 어린아이가 잠들어 있다. 나는 이후 수십 번이나 다시 보았던 것처럼, 그녀가 세일러복 스타일의 민소매 니트에 청바지 차림을 하고 가느다란 가죽끈이 달린 흰색 샌들을 신은 채, 룸메이트와 함께 계단을 내려가는 걸 본다. 안경을 벗고 올린 머리를 풀었는데, 긴 머리카락이 등에서 물결치고 있다. 그녀는 아주 신이나 있다. 인생의 첫 번째 깜짝 파티다.

그녀들이 중앙 건물 바깥, 어쩌면 의무실이나 혹은 다른 사무실이 있던 건물 아래 위치한 지하창고에 도착했을 때, 음악이 이미 틀어져 있었는지는 이제 모르겠다. 그가 전축 주위에서 디스크를 고르느라 분주히 움직이던 무리들 속에 이미 있었는지도. 확실한 건, 그가 그녀에게 춤을 추자고 처음으로 청한 사람이었다는 것이다. 로큰롤 음악이 흘러나오고 있다. 그녀는 춤을 너무 못춰서 창피하다. (그에게 변명하듯 그렇게 말했을 수도 있다.) 그가 꼭 쥔 손에 이끌려 큰 보폭으로 빙빙 돌고, 샌들은 지하창고의 시멘트 바닥에 부딪쳐 탁탁 소리를 낸다. 그녀는 자신이 빙그르르 도는 동안 뚫어지게 자신을 바라보는 그의 시선 때문에 당황한다. 아무도 그렇게까지 깊이 응시한 적은 없었다. 그는 책임지도강사인 H다. 키가 크고 금발이며 건장한 체격의 남자로, 배에 약간 살집이 있다. 그녀는 그가 마음에 드는지, 그를 잘생겼다고 느끼는지 생각해보지 않는다. 그는 다른 지도강사들보다 조금 더 나이가 많은 듯 보이지만 나이 때문이 아니라 맡은 직책 때문에 그를 남자아이가 아니라 성숙한 남자라고 느낀다. 여자 책임지도강사 L이 그렇듯, 그는 그녀에게 다른 강사들을 감독하는 쪽에 속하는 사람이다. 그날 낮에도 그와 같은 테이블에서 점심을 먹었는데, 그녀는 디저트로 나온 복숭아를 어떻게 깔끔하게 먹을 수 있는지 몰라서 난처하고 주눅 들어 있었다. 단 한 순간도 그의 관심을 끌 수 있을 거라고 상상한 적이 없었으므로 그녀는 깜짝 놀란다.

춤을 추면서 그는 그녀를 뚫어지게 계속 바라보며 벽 쪽으로 뒷걸음질한다. 전등이 꺼진다. 그는 그녀를 자신의 가슴 쪽으로 거칠게 끌어당기고 자신의 입술을 그녀의 입술 위에 짓누른다. 어둠 속에서 사람들이 항의하기 시작하고 누가 불을 다시 켠다. 그녀는 그가 전기 스위치를 누른 사람이라는 것을 이해한다. 달콤한 동요가 일고 그녀는 그를 바라보지 못한다. 그녀는 자기 자신에게 벌어진 일을 믿을 수가 없다. 그가 속삭인다. 우리 나갈까? 다른 사람들 앞에서 계속 이러고 있을 수는 없으니까, 그녀는 네, 하고 대답한다. 그들은 서로를 끌어안은 채 밖으로 나가 요양원 벽을 따라 걷는다. 춥다. 구내식당 옆, 어두운 공원에서 그는 그녀를 벽에 밀어붙이고, 그녀의 몸에 자신의 몸을 비비고, 그녀는 청바지 위로 배에 닿는 그의 성기를 느낀다. 그는 너무 서두르고, 그녀는 이런 식의 서두름과 격정에 준비되어 있지 않다. 그녀는 아무것도 느끼지 않는다. 그가 자신에게 느끼는 이 욕망, 그녀가 봄날 만났던 남자아이의 조심스럽고 느린 접근과 조금도 닮지 않은 야생적이고, 주저함 없는 남자의 욕망에 정복된다. 그녀는 어디에 가는지 묻지 않는다. 그녀는 언제 그가 방으로 데리고 간다는 걸 이해했을까? 그녀에게 그 말을 했던가?

그들은 그녀의 방 안, 컴컴한 어둠 속에 있다. 그녀는 그가 뭘 하는지 알지 못한다. 그 순간, 그녀는 그들이 계속 입을 맞추고, 침대 위에서 옷 위로 서로를 만질 거라고 여전히 생각하고 있다. "옷을 벗어." 그가 말한다. 그가 그녀에게 춤을 추자고 청한 이후, 그녀는 그가 요구하는 모든 걸 들어주었다. 그녀에게 벌어지는 일과 그녀가 하는 일 사이에는 아무런 차이도 없다. 그녀는 좁은 침대 위, 그의 옆에 벗은 채로 꼿꼿이 눕는다. 그녀는 자신의 벗은 몸이나 남자의 벗은 몸에 익숙해질 만한 시간적 여유를 갖지 못한 채, 곧바로 자신의 허벅지 사이를 비집고 들어오는 거대하고 단단한 신체기관을 느낀다. 그는 밀어붙인다. 그녀는 아픔을 느낀다. 그녀는 자기 자신을 변호하거나 설명하기 위해서, 자신이 처녀라고 말한다. 그녀는 비명을 지른다. 그는 그녀를 비난한다. '나는 네가 꽥꽥대기보단 흥분했으면 좋겠는데!' 그녀는 다른 데로 도망가버리고 싶지만 가지 않는다. 춥다. 그녀는 일어나서, 불을 다시 켜고, 그에게 옷을 다시 입으라고 말한 후, 떠날 수도 있을 것이다. 혹은 옷을 도로 입고, 그를 거기에 둔 채, 파티로 돌아갈 수도. 그랬을 수 있을 것이다. 하지만 나는 그런 생각이 그녀에게 떠오르지 않았다는 걸 안다. 마치 되돌리기엔 너무 늦어버렸고 모든 일이 진행되어야 할 순서대로 일어나야만 한다는 듯이. 남자를 그런 상태가 되도록 자기가 만들어 놓았으니 그대로 버려둘 권리가 없다는 듯이. 자기 자신에 대한 그 격정적인 욕망과 함께. 그가 다른 많은 여자아이 중에서 자신을 선택—간택—한 것이 아니라고는 상상할 수가 없다.

이 이후엔 남자를 상대하고 있지만 앞으로 벌어질 일을 알지 못해 자기가 뭘 해야 할지 모르는 여자가 등장하는 성인영화처럼 흘러간다. 오직 남자만이 상황의 주인이다. 그는 언제나 한발 앞선다. 그는 여자아이를 자기 배 아래쪽으로 끌어 내리고 그녀의 입을 자신의 성기에 가져다 댄다. 곧이어 끈적한 정액이 폭발하듯 분출해 그녀의 콧구멍까지 솟구친다. 방에 들어선 지 5분도 채

되지 않았다.

나는 생각은커녕 어떤 종류의 감정조차 기억 속에서 발견할 수 없다. 침대 위의 여자아이는 한 시간 전만 해도 경험하게 될 거라고 결코 상상해본 적 없는, 자신에게 일어난 일들을 목격하고 있을 뿐이다. 그게 전부다.

그는 불을 다시 켜고, 세면대 오른쪽과 왼쪽에 놓인 비누 중에서 어느 것이 여자아이의 것인지를 묻고, 자신의 성기를 그것으로 문지른 후 그녀도 문지른다. 그들은 침대 위에 다시 앉는다. 그녀가 그에게 식료품점에서 가져온, 헤이즐넛이 든 밀크초콜릿을 건네자 그는 재미있어하면서 말한다. 나중에 월급을 받으면 차라리 위스키를 사렴! 그건 부모님 식료품점에서 팔지 않는 고급술인데, 어쨌든 술은 그녀를 구역질 나게 한다.

룸메이트가 언제든 파티에서 돌아올 것이다. 그들은 다시 옷을 입는다. 그녀는 책임지도강사라 혼자만 쓰는 그의 방으로 따라간다. 그녀는 자신의 모든 의지를 포기하고 그의 의지 속에 온전히 갇힌다. 남자로서 그가 가진 경험 속에. (한순간도 그녀가 그의 생각 속에 존재하지는 않았을 것이다. 이제 와 생각해도 그럴 수 있단 건 여전히 나에게 불가사의한 일이다.)

나는 언제 그녀가 체념이 아니라 자신의 처녀성을 버리는 데 동의했는지 알지 못한다. 그것을 잃기를 원했는지. 그녀는 협력한다. 나는 몇 번이나 그가 삽입하려 시도하지만 실패해서 그녀가 빨아야 했는지 기억하지 못한다. 그녀의 탓이 아니라는 듯 그가 말한다. "내 것이 커."

그는 계속해서 그녀가 성적 쾌락을 느끼길 바란다고 반복해 말한다. 하지만 그가 성기를 너무 세게 만지는 탓에 그녀는 그럴 수가 없다. 만약 그가 입으로 그녀의 성기를 애무했다면 어쩌면 그녀도 쾌락을 느꼈을지 모른다. 그녀는 그걸 그에게 요구하지 않는다. 그건 여자아이가 요구하기엔 너무 수치스러운 일이니까. 그녀는 그가 원하는 것만 할 뿐이다.

그녀는 그라는 사람에게 굴복하는 게 아니라, 명백하고 보편적인 법칙에 굴복한다. 머지않은 미래에 그녀가 따랐어야만 했을 남성적 야만성의 법칙. 그 법칙이 거칠고 더러운 건, 원래 그렇게 생겼기 때문이다.

그는 그녀가 한 번도 들어본 적 없는 말들을 한다. 외설적인 이야기를 은밀히 속삭이던 유쾌한 사춘기 소녀들의 세계로부터 남자들의 세계로 그녀를 데려가고, 정제되지 않은 성의 영역에 진입했음을 그녀에게 의미하는 이런 말들.

나 오늘 오후에 자위했어.

네가 있던 학교 애들은 다들 레즈지, 아냐?

그는 대화를 하고 싶어하고 그들은 서로를 끌어안은 채, 아이들이 그린 그림으로 뒤덮인 벽 쪽 창문을 바라보며 조용히 이야기를 나눈다. 그는 쥐라 출신으로, 루앙의 기술중학교에서 체육교사로 일하고 있고, 약혼녀가 있다. 그는 스물두 살이다. 그들은 서로를 알아간다. 그녀는 자신의 엉덩이가 크다고 말한다. 그가 대답한다. "그게 여자다운 엉덩이야." 그녀는 기쁘다. 그들의 관계는 다시 정상이 되었다. 그들은 아마 조금 잠을 잤을 것이다.

해가 뜨고, 그녀는 다시 자신의 방으로 돌아간다. 그를 떠나는 순간, 그녀에게 벌어진 일에 대한 의심이 쏟아진다. 그녀는 혼미해진 상태에서 빠져나오지 못한 채 취한 듯한 기분을 느끼는데, 자신이 겪은 그 사건에 대해 말하고 표현하지 않는 한 현실이 될 것 같지가 않다. 그 감정 때문에 그녀는 모든 것을 털어놓는다. 아침식사를 하러 내려가려고 이미 씻고 옷을 갈아입은 룸메이트에게. "나, 책임지도강사랑 잤어."

그녀가 벌써 그것을 '사랑을 나눈 밤'이었다고 생각하고 있었는지는 이제 모르겠다. 그녀가 처음으로 '사랑을 나눈 밤'.

1958년 8월 16일에서 17일로 넘어가는 그 밤을 되짚어보며 깊은 만족을 느끼는 건 처음 있는 일이다. 나는 실재에 최대한 가까이 다가갔다고 생각한다. 공포도 수치심도 아니고, 그저 벌어지는 일에 대한 복종이자 벌어지는 일의 의미가 부재한 상태. 나는 이제 막 시작된 일요일, 앞으로 일어날 일에 대해서 전혀 알지 못했고 겨우 열여덟 살 정도였던 나의 존재로 되돌아 가보려는 나의 의지에도 이보다 더 멀리 나아갈 수는 없다.

점심시간이고, 구내식당의 소란 속에서 그녀는 테이블 끝에 앉아 고함을 지르는 어린 소년 열두 명을 돌보고 있다. 그녀는 접시에 담긴 거뭇거뭇하고 끈끈한 채소를 하나도 삼킬 수 없다. (가지였는데, 한 번도 먹어본 적이 없었다.) 그녀는 전날 저녁 지하창고에 들어간 후부터 줄곧 가슴이 답답한 것 같다. 그녀는 그가 구내식당의 기둥 사이에서 나타나, 테이블 사이를 돌아다니며 감독하는 걸 바라본다. 그는 그녀의 테이블 반대편에 멈춘 후, 나란히 두 줄로 앉은 소녀들 사이에 마주 보고 서서 말없이 그녀를 바라본다. 그녀는 지난밤 이후 그를 보지 못했다. 그녀는—안경을 다시 썼다—자신을 내려다보고, 꼼짝 못 하게 하며, 간밤의 일을 기억하도록 종용하는 그의 시선을 바라본다. 그녀는 눈을 떨군다. 눈에 띄는 그 시선을 견딜 수 없다. 그녀는 다른 아이들 사이에 있는 죄를 지은 어린아이이다. (시간이 훨씬 더 흐른 후, 나는 전날 밤의 기억과 둘 사이의 공모의 감정을 가득 담고 있던 그 시선을 마주 보지 않았던 스스로를 탓할 것이다. 그는 틀림없이 그녀가 그의 눈빛에 동조해주길 기대했을 테지만 그날 아침의 그녀는 그걸 해석해낼 수 없었다.)

시간순으로 이 이후에 일어난 일들에 대해선 한 이미지에서 다음 이미지로, 이 장면에서 저 장면으로 건너뛰며 쓸 수밖에 없다. 현실 속에서 그 장면들이 지속된 건 몇 분을 넘지 않거나, 심지어는 몇 초에 불과할 테지만 기억 속에서 그것들은 터무니없이 길게 늘어나 있다. 마치 기억이 장면들마다 조금씩 살을 덧붙이기라도 하는 것처럼. 그리고, '무궁화 꽃이 피었습니다' 놀이에서 술래가 벽에 기대어 있다가 뒤돌았을 때, 그의 눈에는 꼼짝 못 하는 사람들만 들어오고 그전에 있었던 움직임이 보이지 않듯, 두 이미지 사이에서 흘러간 인생이 아주 오래전부터 내게는 보이지 않는다.

나는 그녀가 오후에 문고판 『인간의 조건』의 시작 부분 몇 장을 읽고 있는 걸 본다. 그녀는 한 문장을 읽을 때마다 앞에 읽었던 문장을 잊어버린다. 모기장 아래 잠든 남자를 살해하는 장면을 읽은 이후부터는 이야기를 더 이상 이해하지 못한다. 그녀는 한 번도 이렇게까지 읽지 못하는 상태에 놓여본 적이 없다.

나는 일요일 밤, 아이들은 모두 잠자리에 들었으며, 푸르스름한 야등 불빛에 잠겨 있는 숙소를 감독하지 않는 지도강사들은 한가했던 그 시간, 그의 방에 있는 그녀를 보고 있다. 그날 오후 스쳤을 때 그가 만나자고 한 걸까? 아니면 그녀가 자진해서 온 걸까? 어쨌든 그녀로서는 지난밤 일이 있기 때문에 그날 밤을 그와 같이 보내지 않을 수도 있다는 상상을 하기가 어렵다. 그는 침대에 누워 있고, 그녀는 그 옆 가장자리에 앉아 있다. 그는 그녀가 맨살 위에 입은 푸른색 카디건의 깊이 파인 목 부분 위로 늘어뜨린 꽃무늬 스카프를 가지고 논다. 그녀는 첫 번째 실수를 저지른다. 초콜릿을 건넬 때와 똑같은 순진한 마음으로, 남자들에 대해 무지하고 자신이 그의 자존감에 상처를 입힐 수 있다는 걸 생각하지 못하기 때문에, 나의 기억 속에서 세월이 흐를수록 점점 더 믿기 힘든 일이 되는 그 실수를. 그녀는 말한다. 금발 턱수염과 럭비선수처럼 넓은 어깨를 지닌 다른 지도강사와 그를 비교하면서. "수염 난 오빠 다음으로 오빠가 제일 멋져요."

그녀는 그에게 칭찬을 하는 거라고 생각하고, 그의 재빠른 대답에 담긴 빈정거림을 전혀 알아차리지 못한다. "아주 고맙네!" 왜냐하면 그녀는 곧이어 또 이렇게 말하기 때문이다.

"그렇지만 정말 그래요!"

그에게 상처 줄 마음 따윈 없이—어떤 경우에도 그녀가 수염 난 남자를 더 좋아한다고 의미할 수 없는, 그들 둘 바깥에 존재하는 진실인 양—그녀가 그렇게 말한다.

그의 낯빛이 어두워진 걸 보고 그녀는 자신이 실수했다는 걸 깨달았지만 곧바로 그 사실을 잊어버린다. 그녀는 H와 함께 보낼 또 다른 밤에 대한 욕망으로 인해 자폐적인 상태에 빠져든다. 그녀는 그와 또다시 그런 밤을 보낼 수 있을 거라 확신하는데, 그건 그들 사이에 일어난 일과, 그들이 한 행위, 그리고 아직 하지 않은 행위들 때문이다. 그는 그녀의 연인이다. 그녀는 그렇다는 어떤 사인을 기다린다. 그 사인이 오지 않아 어쩌면 당황했을지도.

다음 장면에서, 그는 방을 나선다. 그녀는 그가 돌아올 거라고 믿으며 선 채로 그를 기다린다.

방에 들어오는 건 그가 아니라 브르타뉴 출신의 갈색 곱슬머리, 클로드 L이다. 그는 그녀에게 방에서 기다려도 소용없고, H가 다시 돌아오지 않을 거라고 말한다. 그녀는 그가 금발 교사 카트린 P를 보러 갔느냐고 물었던 같다. 그는 아무 대답을 하지 않는다. 아마, 웃었던 것 같다.

(여기서부터 나는 더 이상 S의 여자아이의 생각 속으로 침투할 수 없다. 나는 그냥 그녀의 제스처와 행동을 묘사하고, 다른 이들의 말과 그녀의 말들을 드문드문 기록할 수 있을 뿐이다.)

H의 방의 노골적인 불빛 속에서 얼떨떨하고, 믿기지 않고, 어쩌면 눈물이 난 채로, 누군가 문을 두드리는 바람에 문과 벽 사이의 구석으로 숨으려고 도망가는 그녀를 나는 본다. 활짝 열린 문 뒤에서, 벽에 붙은 채 그녀

는 모니크 C가 곱슬머리에게 웃으면서 말하는 소리를 듣는다. 그녀는 곱슬머리가 자신이 문 뒤에 있다는 걸 조용히 알렸다는 사실을 깨닫고 공포를 느낀다. "얘 여기서 뭐해? 취한 거야?" 그녀는 문 뒤에서 나와 모습을 드러낸다. 그녀는 그 둘 앞에, 1미터 정도 떨어진 채, 신발도 없이 서 있고, 모니크 C는 재미있다는 듯 머리끝에서 발끝까지 그녀를 훑어본다. 나는 그녀가 뭘 애원했는지 모른다.—어떤 말들이 그 이후 수치심 속에서 묻혔는지(아마도 H가 금발 여자와 있는지였을 것이다)—그리고 모니크 C에게 "우리 친구 아니에요?"라고 그녀가 애원할 만큼 모니크 C로부터 어떤 경멸적인 거절의 대답을 들었는지도. 그녀의 말에 모니크 C는 거칠게, 혐오감을 내비치며 대답한다. "아니! 너 같은 애랑은 친구 아니거든!"

이 장면을 다시 떠올리고 또 떠올리지만, 이 당시 느꼈던 공포심은 줄어들지 않는다. 다정한 손길을 구걸하지만 발로 걷어차이는 개처럼 비참했던 그 느낌은. 그러나 이 장면을 되풀이해서 머릿속에 떠올리고 또 떠올려봐도, 반세기 전 사라져버린 그때 그 순간의 모호함을 해소할 수 없고, 다른 여자아이가 나에 대해 품었던 그 혐오감은 여전히 내게 그 모습 그대로, 불가해한 채 남아 있다.

유일하게 확신할 수 있는 건 아니 D, 부모님의 응석꾸러기였던 어린 여자아이, 똑똑한 학생이었던 그 아이가 바로 이 순간에, 모니크 C와 클로드 L, 그리고 자신의 동료가 되어주길 바랐을 모든 이들의 눈에 경멸과 조롱의 대상이 되어 있다는 사실이다.

그녀는 이제 H의 방에 있지 않다. 그 일요일 저녁, 혼란스럽고 넋이 나간 상태로 길을 가던 그녀는 남녀가 섞여 있는 지도강사 무리를 언제 맞닥뜨리게 된 걸까—아니면 그녀가 자발적으로 합류했던 걸까? 파티를 벌이고 소란을 피우고 싶은 밤의 욕망으로 가득 차 있고, 방학캠프가 막 시작한 이 시기에 환영회를 빙자해 누군가를 골탕 먹이고픈 은근한 욕망에 사로잡혀 있는지도 모르는 그 무리를. 어찌 됐든, 나는 방들이 늘어선 복도에서 젖은 머리 탓에 앞이 보이지 않아 저항하고 있는 그녀를 본다. 머리가 젖은 건 무리가 양동이로 물을 쏟아부었기 때문이다. 나중엔 괴롭힐 때마다 의례적으로 그들이 내곤 했던 사냥감을 몰 때 내는 쉬쉬 소리를 내지르며. 모두 웃음을 터뜨린다. "이렇게 하니까 줄리에트 그레

코를 닮았네!" 젖은 머리 사이로 그녀는 그를 본다. 자기 방 문가에 꼼짝 않고 서 있는 덩치 큰 H는 고등학생들이 벌이는 소극을 나이 많은 책임자의 너그러운 미소를 지으며 지켜보고 있다. (이제 와서는, 그들이 이미 모든 걸 다 알고 있었기 때문에 나를 놀이로 H의 방 앞까지 끌고 간 거라고 쉽게 짐작할 수 있다.) 그녀는 그날 저녁 두 번째 실수를 저지른다. 무리에서 떨어져 나와 그의 이름을 부르고, 웃으면서 그에게 도와달라고 외친다. 그녀는 다른 사람들이 자기가 줄리에트 그레코를 닮았다고 했다고 되풀이해 말한다. 그녀에게는 그에게 도움을 청하는 것이 자연스러운 일이었다. 지난밤의 일이 있었고, 아무것도 입지 않고 같이 있었으니까. 그녀는 그에게 안기려고 다가간다. 그는 팔을 그대로 몸에 붙이고 있다. 아무 말도 하지 않고 계속 웃기만 하며. 그는 뒤돌아서 방으로 들어간다. (그는 틀림없이 멍청한 계집애라고, 이런 여자애와는, 자기가 줄리에트 그레코를 닮았다고 생각하는 멍청이와는 얽히지 말아야겠다고 점점 더 생각했을 것이다.)

2014년 11월 흐린 일요일에, 나는 모든 사람 앞에서 등을 돌리는 그를 바라보는, 나였던 여자아이를 보고 있다. 태어나 처음으로 같이 발가벗고 있었던 남자, 밤새도록 자신의 육체로 쾌락을 느꼈던 남자. 그녀의 머릿속에는 아무런 생각이 없다. 오직 두 육체, 그들의 몸짓, — 그녀가 원했든 아니든 — 그들이 해냈던 일의 기억뿐. 그녀는 잃는다는 두려움, 부당하게 버려진다는 느낌에 사로잡혀 있다.

그녀는 버려졌다, 누더기 소녀처럼. 그녀에겐 아무것도 상관이 없다. 그녀는 더 이상 아무것도 느끼지 못하는 사람처럼 온순하게 흥분한 무리의 손길에 그냥 몸을 맡긴다. 그들은 수도원 왼쪽의 새로운 작은 건물 안에 있다. 칙칙한 초록색 벽으로 둘러싸인 넓은 방엔 알전구가 덮개 없이 천장에 매달려 있다. 그녀는 안경을 쓰고 있지 않다. 그들은 이곳이 주말동안 자리를 비운, 원장의 두 비서가 쓰는 방이라고 반복해서 말한다. 마치 자기 집에 있는 것처럼 행동하는 그들을 보며 그녀는 놀란다. 그들은 로베르 라모로와 페르낭 레노의 음반을 틀고, 유리잔과 화이트와인을 꺼낸다. 그녀는 그들이 자신을 괴롭히며 즐기고 있다는 걸, 자신을 속이고 있다는 걸 알아채지 못한다. 그녀는 그다음 날에야 그들이 있었던 방이 기 A와 자크 R이라는 두 체육교사의 방이었다는 걸 알게 된다. 자크 R은 여럿이 앉아 있는 침대 위에서 그녀를 끌어안고 있다. 그들은 그녀가 책임지도강사와 보낸 밤과 복도에서 겪었던 치욕에 대해 이미 들은 게 틀림없고, 그래서 — 며칠 후, 포도주색 얼룩이 한쪽 뺨에 나 있는 지도강사 클로딘 D가 그녀에게 말해준 것처럼 — 그녀를 '엿 먹이기' 시작한 걸까?

그녀는 그들이 웃는 것을, 더러운 이야기를 주고받는 것을 — 무감각하게, 멍한 상태로 — 듣는다. (이제, 이걸 쓰는 이 순간에, 바버라 로든의 영화 속 마지막 장면이 끼어들어온다. 그 영화 속에서 완다는 클럽에서 두 명의 술 취한 난봉꾼 사이에 있다. 말없이, 머리를 오른쪽으로, 왼쪽으로 돌리면서 그들이 건네는 담배를 피운다. 그녀는 더 이상 거기에 없다. 바로 직전에 그녀는 '나는 아무런 가치가 없어'라고 말했다. 카메라가 그녀의 굳어 있는 얼굴을 잡고, 얼굴은 천천히 흐릿해진다.)

〈완다〉의 속편은 그보다 15년 전, 오른의 S에 있는 어느 방에서 찍혔다. 그들은 전구를 끄고, 짝을 지어 침대나 바닥에 눕는다. 전축 위에서는 음반이 계속 돌아가고 있다. 그녀는 자크 R과 함께 바닥에 있는 매트리스에 누워 있다. 그들은 같은 침낭 속에서 아랫도리를 벗은 채다. 그는 멈추지 않고 그녀에게 입을 맞춰대고, 그녀는 그의 물렁한 입술을 좋아하지 않는다. 그는 H의 것보다 더 곧은 그의 성기를 밀어 넣고, 그녀는 안 된다고, 자신이 처녀라고 말한다. 그는 그녀의 허벅지 사이를 적신다. 어둠 속에서 다른 남자애들이 농담조로 여자애들과의 진행 상황에 대해 보고하는 걸 들으면서 그녀는 우는 것 같다. 그러는 사이 달리다가 노래한다. '나는 기뻐하며 떠나요 랄랄라라 예예예/ 나는 행복을 찾아 떠나요.'

그는 다시 삽입하려 시도한다. 그는 난폭하지 않게, 자신의 욕망을 실현하려고 끈질기게 애쓴다. 그녀는 그가 성공할까 봐 겁이 난다. 달아날 생각을 하지는 않는다. 그녀에게 이것은 좋은 것도, 나쁜 것도 아니고, 그저 대용품인 어떤 육체가 주는 위로와 슬픔 사이의 무언가일 뿐이다. 다른 육체 속에 있는 똑같은 남자의 욕망. 그녀는 그저 자신의 몸을 빌려주는 것뿐이라 생각하지만 삽입은 완강히 거부한다. 그녀는 오직 H, 지난밤 자신에게 간청했고, 이제는 자신을 버려버린 그 남자에게만 '자기 자신을 줘'—흔히 사용되는 표현이다—야 한다는 생각에 사로잡혀 있는 게 틀림없다.

그녀, 그 여자아이를, 룸메이트와 지하창고에 들어갔고 H가 그녀에게 춤을 추자고 신청한 그 저녁에서부터 한 이미지씩 따라가고 있긴 하지만, 그녀가 그런 상태에 처해지게끔 이끌어온 점진적인 변화의 과정과 논리를 전부 포착하기란 불가능하다.

나는 그저 8월 18일 새벽, 룸메이트가 이번에도 이미 깨어 있던 시간에 방으로 되돌아갔을 때 그녀가 (1주일 먼저 생리가 시작된 거란 걸 알고 안심하기 전, 옷을 갈아입으려고 청바지를 벗다가 피가 나는 걸 발견하고 놀라 당황해서) 침낭 속에서 자크 R과 있었던 일은 아무 의미도 없는 거라고, 무효라고 생각했다는 걸 말할 수 있을 뿐이다.

나는 그녀, 아니 D의 욕망이 절정으로 치닫는 것을 바라보고 있다. 그녀는 H를 향한 욕망과 관련 없는 모든 걸 부정하는 데 온 힘을 쏟고 있다. 그녀는 그가 자신을 원한다고 믿고 있고, 신고식이 있던 날 저녁 그의 방으로 찾아갔을 때 그녀가 'R과 어울렸다'는 이유로 가혹하고 모욕적인 거절을 당했는데도 계속 그렇게 믿으며, 심지어는 금발의 여자 교사 카트린—푸른 보석이 박힌 반지와 접시 옆에 매일 놓아둔 FM 소인이 찍혀 있는 편지들이 증명하듯 그녀는 알제리에 가 있는 소집병과 약혼했다—이 책임지도강사의 침대 위, 자신이 있던 자리를 대체했다는 사실을 알게 된 이후에도 믿는다.

그녀는 그가 어떤 몸짓을 보이기를, 자신을 욕망하고

있다는 어떤 종류의 몸짓이든 보여주기를 원한다. 그녀는 그가 자신으로 쾌락을 느끼기를, 자기 위에서 쾌락으로 소진되기를 원한다. 자기 자신의 쾌락에 대해선 아무것도 기대하지 않는다.

그녀는 그를 단념하지 않고, 어느 날 저녁, 변덕으로든, 금발 여자가 싫증 나서든, 동정심 때문이든, 뭐가 되었든 간에 그가 자신을 원하기만을 기다린다. 그에 대한 욕구, 그를 자신의 육체의 주인으로 삼고자 하는 욕구로 인해 그녀는 긍지와 관련된 모든 감정에 무관해진다.

처진 눈과 두꺼운 입술, 체격 때문에 그녀는 그가 말론 브란도를 닮았다고 생각한다. 다른 여자 지도강사들이 낮은 목소리로 그가 몸이 크고 힘이 세지만 멍청하다고 이야기하는 건 신경 쓰지 않는다. 그녀는 마음속으로 그를 '대천사'라고 부른다.

자유 시간에, 그녀는 다른 강사들의 눈에 띄지 않으려고 조심하면서 S의 성당에 들어간다. 그녀를 빈정거리듯 쳐다보면서 〈아베 마리아〉를 야한 가사로 개사해 부르는 남부지방의 초등교사 출신을 필두로 한 그들은 성당에 가는 그녀를 보면 신이 나서 놀려댈 것이다. 그녀가 간청하는 하느님은 H, 그녀의 절망과 비참에 무심하고 그녀에게 등을 돌린 채 금발 여자를 택한 진짜 하느님의 대리자일 뿐이다. 주님, 한마디만 하소서, 그러면 제 영혼이 낫겠나이다.

글을 쓰면서, 금발의 여자가 내가 우연히 차지했던 그 자리를 빼앗고 싶어했을 수도 있다고는 지금껏 생각해 본 적이 없다는 걸 알아차린다. 약혼자가 있든 없든, 우리가 첫째 날 차례로 보건실에서 엑스레이를 찍었을 때 나를 본 그녀는 태도가 어색하고 근시안경을 쓴, 키만 클 뿐 볼품없는 여자애라고 생각했을 것이고, 그런 여자애에게 H의 옆자리를 넘겨줄 수 없었을 거라고는. 다른 이들도 아마 그렇게 생각한 것 같다. 다른 사람들이 그녀가 바람을 피우는 것에 대해서 비난하는 소리를 들어보지 못했으니까. 건장한 체격의 남자 책임지도강사와 예쁘장하고 몸매가 빼어난 여자 교사가 그해 여름 동안 커플이 되는 걸 다들 무의식적으로 인정한 것이다. 어느 날, 그 금발의 여자 교사가 수영복을 입어 몸매가 드러나자, 남자아이들은 감탄하며 휘파람을 불어댔고, 발기의 표시로 손가락을 들어 올리며 늘상 하듯 '핀업'이라는 단어로 말장난을 했다. 다르게 생각할 수는 없었다. 나는 그 여자가 나보다 예쁘고 모든 면에서 더 낫다고

느꼈다. 2003년, 나는 간결하게 요약했다. '그녀는 그녀고, 나는 아니다.'

글을 써나갈수록, 내 기억 속 이야기가 지금까지 지녀온 단순함이 사라진다. 1958년의 끝까지 가는 것, 그것은 수년에 걸쳐 내가 축적해온 여러 해석들을 산산조각 내겠다는 걸 받아들이는 것이다. 아무것도 윤색하지 말기. 나는 허구의 인물을 축조하는 것이 아니다. 나는 나였던 그 여자아이를 해체하는 것이다.

의심: 나는 내 글쓰기의 한계를 실험하고 글쓰기가 현실에 가능한 한 가까이 밀착할 수 있도록 밀어붙이기 위해 내 인생에서 이 순간을 펼쳐 보이길 은연중에 원했던 건 아니었을까. (이 관점에서 나는 과거에 쓴 책들이 근사치에 도달한 것에 불과하다는 생각까지 하게 될 것이다.) 어쩌면 나는 내게 사람들이 부여하는 작가라는 상을 위태롭게 하고, 유린하며, '나는 당신이 생각하는 그런 사람이 아니에요'라며 어떤 기만을 악착같이 고발하기를 원했던 것일지도 모른다. 공교롭게도 그건 남자 지도강사들이 내가 지나갈 때마다 조롱조로 했던 말을 떠오르게 한다. '나는 당신이 생각하는 것처럼 숫처녀가 아니에요.'*

그다음, H가 그녀를 더 이상 원하지 않고, 그녀는 자크 R을 원하지 않았던 그날 이후 벌어진 일에 대해 쓰는 문제.

이 여자아이가 처해 있던 황홀한 표류에, 빈정거림과 비꼼, 모욕적인 언사들까지 모두 무감하게 만드는, 자기 인생의 가장 고양된 순간을 살고 있다는 감각에 이제 어떻게 접근해야 할까.

다른 사람들, 아니 모든 사람들이 정신이상과 방탕이라고 생각했지만 사실은 평온하고 자만한 상태**에 놓여 있던 그녀가 S에서 경험한 것을 어떤 어조로—비극적으로? 서정적으로? 낭만적으로? 심지어 유머러스한 어조도 그렇게 어렵지 않을 것 같다—이야기해야 할까.

5월 혁명이 일어나기 10년이나 전인 그때, 내가 감탄

---

* "나는 당신이 생각하는 것처럼 숫처녀가 아니에요(Je ne suis pucelle que vous croyez)"라는 남자 지도강사들의 조롱은 "나는 당신이 생각하는 그런 사람이 아니에요(Je ne suis pas celle que vous croyez)"라는 문장의 발음에 근거한 말장난이다.

** 원서에 쓰인 단어는 그리스 비극에 사용되는 '휴브리스(hubris)'다. 휴브리스는 과거의 경험을 바탕으로 지나친 자신감에 빠져서 오만하게 굴다 신과 갈등을 일으켜 결국 파멸에 이르게 되는 영웅의 심리를 나타내는 단어다.

할 만큼 대담했고, 성적 자유를 전위적으로 실천하는 사람이었으며, 영화 〈그리고 신은 여자를 창조했다〉—아직 나는 그 영화를 보지 못했다—속 브리지트 바르도의 분신이기라도 했던 것처럼 적어야 하는 걸까? 그러니까 내가 지금 읽고 있는, 1958년 8월 말, 마리클로드에게 보낸 편지에서처럼 커다란 기쁨에 찬 어조로? '나는 말이야, 이보다 더 잘 지낼 수가 없어. […] 나 […] 책임 지도강사와 잤거든. 내 말에 놀랐니? 그다음 날엔 또 다른 체육교사랑도 잤어. 그래 그거야, 나는 도덕 같은 건 무시하는 냉소적인 사람인 거지. 최악인 건, 양심의 가책을 느끼지도 않는다는 거야. 사실 너무 별게 아니라서, 2분만 지나면 더 이상 아무 생각도 안 나.' 이렇게 가정하는 건, 근친상간과 강간을 제외하면 성적인 그 무엇도 단죄할 수 없는 오늘날, 인터넷에서 '바네사는 휴가를 보내러 스와핑 호텔에 간다' 같은 글을 읽을 수 있는 오늘날의 시선으로 S의 여자아이를 바라보는 것이다. 그게 아니면 나는 여자아이의 모든 가치가 '행실'에 있다고 보던 1958년도 프랑스 사회의 시선을 택해, 그 여자아이의 순진무구함과 어리석음, 경솔함을 딱하게 여기면서 그 여자애에게 모든 일의 책임을 지워야 할까? 그도 아니면 어떤 역사적 시각에서 다른 역사적 시각으로, 1958년에서 2014년으로 계속해서 왔다 갔다 해야 할까? 나는 이 두 가지를 모두 담을 수 있는 문장이 있기를, 그저 단순하게, 새로운 통사적인 방식이 있어서, 충돌 없이 두 가지를 모두 담을 수 있기를 꿈꾼다.

매일 밤은 축제다. 그녀는 즉흥적으로 열리는 모든 깜짝 파티에 참석하고, 불 꺼진 방으로 음반을 감상하러 가고, 각종 도전에 응하고 — 예를 들면, 구내식당에 기관장의 시트로앵2CV 승용차를 밀어 넣는 일 — 담을 넘어 S시의 텅 빈 밤거리를 돌아다닌다. 그녀는 현재의, 매일 밤이 약속하는 그 무엇도 놓치려 하지 않는다. 나는 그녀가

부모님의 카페에 오던 주정뱅이들 때문에 생긴 알코올에 대한 혐오에도 불구하고 진을 마시면서, '셰그랑도르주' 바의 스툴에 앉아 있는 걸 본다.

약간 알딸딸해져서는 떨어지지 않을까 걱정하면서 수도원의 담벼락 위에서 균형을 잡고 걷는 모습을 본다.

모두 잠든 시간의 도시를 걷는다는 우월감과 흥분에 취해, 서로 팔짱을 낀 채 〈드 프로푼디스 모르피오니부스(De profundis morpionibus)〉*를 목청껏 노래하는 무리

* 『19세기 고답파 풍자 시집』에 〈사면발니 대위의 출현과 죽음, 장례식〉이라는 제목으로 실려 있던 시에 곡을 붙인 외설적인 노래로, 라틴어풍으로 붙인 제목을 직역하면 '사면발니 애도가' 정도의 의미이다.

속 두 남자 틈에 끼어 있는 걸 본다.

영화관에서 동유럽 영화 〈카날〉을 보면서—안경을 쓰고 있지 않아서 자막도 이미지도 볼 수 없고 영화는 안개처럼 흐릿할 뿐이다—누군가의 어깨에 머리를 기대고 있는 걸 본다.

무엇보다도, 숙소를 감독하는 순번과 방을 따로 쓰는 걸 선호하게 마련인 커플이 어떻게 짝지어지는지에 따라 구성원이 달라지는 무리에 합류하기 위해, 골루아즈 담배를 손가락 사이에 낀 채 계단을 두 칸씩 성큼성큼 내려가고 있는 걸 본다. 무리와 함께 있을 때 느낄 수 있는 커다란 희열에 빠져들기를 열망하면서.

나는 그녀가 느끼던 행복이 진짜라는 걸 알고, 그녀가 그 행복을 진짜라 의식하고 있다는 사실을 조금도 의심하지 않는다. 행복을 의식하는 일이 얼마나 필요했는지는 빨간 수첩에 베껴 적은 문구에서도 드러난다. 우리가 경험하는 동안 즐기고 있단 걸 알아차릴 수 있는 행복만이 진짜 행복이다. (알렉상드르 뒤마 피스)

그녀의 마음속엔 더 이상 이브토에 대한 그 무엇도,

기숙사도, 수녀들도, 식료품점 겸 카페도 없다. 9월 중순이 되면 그녀의 부모님이 삼촌, 숙모와 함께 그녀를 보러 올 것이다. 그들이 요양원 포치 앞에서 큰 목소리로 떠들며 요란한 동작으로 르노4CV에서 내릴 때, 그녀가 느끼는 건 자신이 한 달 동안 그들을 완전히 잊어버렸다는 사실에 대한 놀라움뿐일 것이다. 그리고 희미한 동정심을 느끼며, 그들이 늙은 것 같다고 생각할 것이다.

그녀는 자신의 자유, 자유의 규모에 눈이 멀었다. 처음으로 돈을 벌고, 자기가 원하는 것, 케이크며 빨간색 에마이 디아망 치약 따위를 산다. 이 삶 말고 다른 것을 원하지 않는다. 춤추고, 웃고, 소란을 피우고, 외설적인 노래를 부르고, 남자들과 추파를 주고받는 것.

그녀는 어머니의 시선에서 해방되었다는 가벼움 속을 떠다닌다.

(하지만 조금 덜 영광스러운 이미지 하나가 사실 이 행복이 한결같이 계속되지는 않았음을 증명하고 있다. 어느 밤, 기둥이 세워진 구내식당 근처의 화장실로 이어지는 복도에서 홀로 살짝 비틀거리며 걸어가는 여자아이에 대한 이미지. 의식이 멀어져버린 육체 위에 물웅덩이처럼 쪼그라든 채 둥둥 떠 있지만 한편으론 화이트와인으로 인해 예민하게 각성

된 채, 그녀는 스스로 묻는다. 나는 대체 뭐가 된 거지?)

H와의 일이 있고 난 이후, 그녀에게는 남자의 육체와 맞닿아 있고, 그의 손길과 발기된 성기를 느낄 필요가 생겼다. 위안이 되는 발기.

그녀는 갈망의 대상이 된다는 사실이 자랑스러웠고, 그 숫자가 자신의 매력이 지닌 가치를 증명하는 것이라 여겼다. 수집에 대한 자부심. (다음의 구체적인 기억으로 이 같은 사실을 입증할 수 있다. 어느 날, 들판에서 S에 휴가를 온 화학전공 대학생과 키스한 후, 나는 그에게 내가 방학 캠프에서 얼마나 많은 남자들과 놀아났는지를 자랑한다.) 그들은 그녀의 환심을 사려고 애쓰지 않고, 그들이 욕망하길 바라는 그녀의 욕망을 뒷전으로 미루는 법도 없다. 그들은 목표로 직진하는데, 그녀의 명성 때문에 그렇게 해도 된다고 믿는다. 그들은 그녀와 입을 맞추는 동시에 그녀의 치마를 벗기거나 청바지 지퍼를 내린다. 3분, 허벅지 사이에, 언제나. 그녀는 그 이상은 원하지 않는다고, 자신이 처녀라고 말한다. 오르가슴을 느끼는 법은 결코 없다.

그녀는 한 남자를 지나 다른 남자로 넘어가고, 누구에

게도 집착하지 않는다. 심지어, 피에르 D에게도. 그녀는 그가 수위실의 작은 창문을 통해 남자아이들을 감시하던 커다란 공동침실에서 며칠 밤을 그와 함께 보냈다. 그가 그녀에게 말했다. "사랑해" — 그는 그런 말을 해준 첫 번째 남자였다 — 그녀가 대답했다.

"아냐. 이건 그냥 욕망일 뿐이야."

"그렇지 않아, 아니. 정말이야, 틀림없어."

"그렇지 않아."

여기서 나는 1958년의 '나'를, 1999년 2월 8일 브리지트 바르도 주연의 〈불행의 경우〉를 다시 보며 동요했던 걸 보면 죽었다고 말할 수 없는 그때의 '나'를 내가 미화하려는 듯한 느낌을 받는다. (영화를 보고 나는 일기장에 곧바로 이렇게 적어두었다. '내가 1958년에 남자들과 했던 행동들이 얼마나 바르도와 똑같이 닮았는지 보고 놀랐다. 한 남자에게 다른 남자와 놀아났다고 말하던 나의 천연덕스러움, 나의 실수들. 규칙이고 뭐고 아무것도 없이. 이게 내가 가장 억압해온 나의 이미지다.') 그 담대했던 '나'가 나라고 주장하려는 듯한 느낌을. 나중에 가서는 무엇인지 정의할 수도 없으면서, 그것이 내 존재의 방향을 다시 쥐고 나를 파멸로 이끌지 모른다는 강박에 시달리기는 했지만.

하지만 그 여름에 몰입하며 내가 다시 발견하는 건 말로 표현할 수 없는 거대한 욕망이다. 자각을 갖고 전부 — 오럴섹스 등등 — 해내는 여자아이들의 열의, 안전하게 이뤄지는 사도마조히스트들의 의식, 살갗의 절망을 모르는 모든 이의 거리낌 없는 섹슈얼리티를 무의미하게 만들어버리는.

그들의 이름과 성, — H와 자크 R까지 포함해서 여덟 명이다 — 은 내가 『사건』을 쓰기 위해 활용했던 1963년의 작은 수첩의 마지막 페이지에 위아래로 나란히 적혀 있다. 방학 캠프가 있었던 그해로부터 4년이 더 지난 시점에 왜 이런 세목들을 작성했는지 나는 더 이상 기억하지 못한다.

틀림없이 나는 1958년의 수첩에 이미 그런 목록을 작성했을 것이다. 어머니는 문학 교수가 되었고, 결혼을 '잘'했으며, 두 아이의 어머니가 된 나 — 그녀의 딸, 자랑, 분노, 작품 — 를 사회적으로 구원해주려는 확신에 차서 그 수첩을 내 일기장과 함께 1960년대 말에 불태워버렸다. 하지만 진실은 불 속에서 살아남았다.

자기에 대한 글쓰기가 빠지기 쉬운 역사적인 덫: 나의 '비행'—비행이란 단어부터 벌써 역사적이고 고리타분하다—을 오랫동안 구체화했던 물적 증거가 되어왔으나, 2015년의 내 눈에 이 목록은 짧진 않지만, 그렇다고 충격적으로 보이지도 않는다. S의 여자아이에게 쏟아진 치욕을 오늘날의 독자들이 지각할 수 있게 하기 위해 또 다른 목록을 하나 더 작성해 대조할 수 있게 해야 하는데, 지도강사 무리가 그녀를 경멸과 조롱의 대상으로 만들기 위해 사용했던 음탕한 빈정거림, 야유, 경구를 가장한 모욕적인 말들의 목록이 바로 그것이다. 언어적 헤게모니를 이론의 여지 없이 장악하고 있었고—여자 지도강사들은 감탄하기까지 했다—모든 여자아이들이 지닌 에로틱한 가능성을 평가해 여자아이들을 '꽉 막힌 아랫도리'와 '헐거운 아랫도리'로 분류했던 그들. 그러니까 남녀로 이루어진 관객들—특히 남자들은 언제나 경쟁적으로 더 심한 농담을 할 준비가 되어 있고, 여자들은 결코 반대하는 법 없이 웃는다—을 즐겁게 하기 위해 그녀에게 재미있다는 듯 던졌던 그 농담들을 열거할 것:

나는 네가 생각하는 것처럼 숫처녀가 아니야

소설을 너무 많이 읽은 거 아냐?

'몽땅 100프랑 가게'에서 산 선글라스냐? (내 눈에는 예뻐 보이는 선글라스였는데.)

니 엉덩이는 냄비 같아

의료계에 종사하는 몸 납시오 (왜냐하면 교육에 필요한 지식을 충분히 갖고 있지 않단 사실이 금세 만천하에 드러나서, 나는 휴가를 떠난 보건교사 비서를 대신하고 있었기 때문이다).

고환을 만지는 시늉을 하며 내뱉던 중의적인 말들:

찾으라, 그러면 발견할 것이다

나는 전원이 안 들어와

그녀가 지나가면 불러대던 개사한 노래들: '네가 더 이상 내 물건을 원하지 않는다면/ 팬티 속에 다시 집어넣을게/ 참치들이 추는 차차차' 등등

그들이 좋아하던 속담도 빼먹어서는 안 된다: 일을 도모하는 건 남자요, 그 일을 성사시키는 건 여자다. 그녀는 잘 성사시키질 못했다.

끝으로 이렇게 추잡스러운 말들이 범람하는 걸 허용하고, 그녀의 지적 능력을 요란스럽게 부인하던 말, '2차

대입자격시험을 그 어려운 수학-라틴어 계열로 보신다고? 나라면 중학교 졸업장도 안 줬을 텐데.' 1958년 여름 다들 집중적으로 많이 사용했기 때문에 완화되고 별거 아닌 것처럼 여겨졌지만 모욕적이었던 그 말을 쓸 것: 창녀 같은 년.

창녀들 만세. 내 치약으로 적나라하게 쓴 붉고 큰 글씨는 내 방 세면대 거울 위에 적혀 있었다. (이 표현 때문에 내 룸메이트—만나는 상대가 한 명밖에 없던 현명한 아이였다—는 분노했는데, 나는 냉소적으로 반응했다. 복수로 쓰여 있는 게 마음에 걸리는 거야?)

1958년 여자아이는 기분 나빠하지 않고, 내 눈엔 즐기는 것처럼 보이기까지 하다. 그녀에게는 일상적으로 가해진 조롱 섞인 폭력이라는 듯이. 어쩌면 그들이 그녀에 대해 잘못 판단하고 있다는 증거를 하나 더 보고 있는 거라고 생각하는지도 모른다. 뭔가 잘못됐다. 그녀는 그들이 그렇다고 말하는 그런 사람이 아니다.

지금 생각해보면, 그 확신은 어디에서 온 걸까? 그녀가 단호하게 지키려 했던 자신의 처녀성이나 뛰어난 학업 성적 혹은 사르트르를 읽었다는 사실에서? 무엇보다도, 확신은 손가락을 관자놀이에 대며 그녀를 완전히 맛

이 간 사람으로 취급했던 클로딘 D 앞에서까지 그녀가 ‘대천사’라고 여전히 불렀던 H를 향한 자신의 열정적인 사랑에서 기인한 것이었다. 그리고 그가 자신과 하나가 되어 있다는 사실이 그녀로 하여금 수치심을 뛰어넘을 수 있게 했기 때문에.

빨간색 치약으로 쓰인 글씨를 내가 기억하는 건, 분명히 말할 수 있는데, 수치심 때문이 아니라, 그들의 모욕과 그들의 판단, 창녀와 그녀 사이를 부적절하게 연관짓는 것이 잘못됐다고 믿었던 그 확신 때문이다. 나는 이 시기에 수치심이라고 부를 만한 어떤 감정도 있었다고 생각하지 않는다.

점심시간, 식당 옆에 있는 게시판 앞에서 서로를 툭툭 쳐대며 대여섯 명의 남자 지도강사들이 웃는 소리가 그녀의 관심을 끌었을 때도 마찬가지였다. 그녀는 그들 곁으로 다가가고, 공고문 옆에 그녀가 전날, 절친한 친구인 오딜에게 썼다가 다시 쓰려고 찢어서 버린 편지가 구겨진 채로 모든 사람이 볼 수 있도록 압정에 찍혀 전시되어 있는 것을 발견한다. 그들은 그녀를 둘러싸고 갑자기 웃음을 터뜨리며 편지의 문장들을 읽기 시작한다. 그러니까 H가 네 어깨에 손을 얹을 때 그렇게 좋아 죽겠

단 말이지? 그녀는 그들을 개새끼라 부르고, 그들에게 자기가 쓴 편지를 읽을 권리가 없다고 소리 지르며 대체 누가 이런 짓을 했느냐고 묻는다. 그들은 조리사의 소행이며, 그가 편지를 쓰레기통에서 발견해 게시판에 붙였다고 말한다. 그녀는 조리사를 데려오라고 한다. 그는 망설이지 않고, 웃어대면서, 자기가 한 일이 모든 사람을 배꼽 잡게 했다는 데 만족해하며 부엌에서 나온다.

나는 다시 V를 본다. 사십대의 혈색 좋은 금발 남자로, 푸른색과 흰색 체크무늬 재킷을 입고, 역시 조리사인 아내처럼 친절하고 호감형인 그를. 그의 허세 부리는 태도, 그의 만족감. 나는 그의 따귀를 갈기고 싶었을까? 모두의 지지를 받는 그의 따귀를 때리는 일은 불가능하다. 모두가 그녀를 둘러싸고 웃음의 벽을 이룬다. 솔직히, 그들은 무엇이 나쁜지 이해하지 못한다. 그녀는 권리를 따지는 자신의 말이, 분노에 차서 되풀이하는 '너네한테는 이럴 권리가 없어'라는 말이 그들에게 결코 가닿지 않으리란 걸 깨닫는다. 잘못한 사람은 자신이란 걸. 감상적인 편지를 쓰고, 그걸 아무렇게나 버려둔 잘못. 창녀 같은 년 주제에 자기보다 훨씬 몸매 좋은 금발 여자와 자는 남자에게 바보같이 사랑에 빠진 여자한테는 조심할 필요가 없다는 것을. 그들이 그녀에 대해 갖고 있는 이미지와 대항해 싸울 수는 없다는 것을. 그 이미지가 법을 만들었고, 조리사가 편지를 게시판에 붙이도록 했으며, 그들을 웃음 터뜨리게 한다는 것을. 그녀가 그들이 자신에 대해 생각하는 것과 그들이 자신에게 하는 일을 연결 지어 생각했는지는 기억나지 않는다. 어쩌면 H가 편지를 읽었고 다른 이들만큼이나, 아니 더, 그녀에 대해 신경 쓰지 않을 가능성이 크다는 사실에 그저 사로잡혀 있었던 것은 아니었을까.

지금 내겐 이 편지 장면과 H와 보낸 밤의 장면 사이에 어떤 유사성이 보인다. 다른 이들을 설득하고, 내 관점을 주장하는 것이 불가능했다는 공통점. 그녀를 다시 떠올려보면 그녀는 조금씩, 조금씩 개성을 잃어간다. 한가운데에 있는 그 사람은 더 이상 나도, 아니 D도 아니다. 방학 캠프의 복도에 벌어졌던 그 일은 유구한 시간 속, 지상 위로 널리 퍼지는 하나의 상황으로 변한다. 매일매일, 세계 어디든 여자를 둥그렇게 둘러싸는 남자들이 있다. 여자에게 돌을 던질 준비가 되어 있는 남자들.

원 가운데에 있는 1958년 여자아이에 대한 이 장면. 그해 10월 철학 수업을 들으며 생겨났고, 지난여름에야 겨우 처음으로 한 여자 소설가 친구에게 그녀에 대해 이야기하도록 만든 그 장면의 불명예스러운 오명을 벗겨 낸 지금, 나는 1958년 여자아이가 자신이 쓴 편지의 내용 때문에 수치심을 느끼지 않고 있다는 걸 안다. 그녀는 비난이 조리사가 아니라 자신에게 쏟아진다는 사실에 놀라고, 왜 그런 일이 벌어지는지 이해할 수가 없다. 그녀는 아무도 자신의 편을 들어주지 않고 이런 구역질 나는 행위에 그들이 박수 친다는 사실을 믿지 못한다. 그들이 막 넘어선 경계선은 그들이 그녀를 다른 여자 지도강사와 똑같이 여기지 않고, 그녀에 대해서라면 그들이 모든 권리를 가져도 된다고 생각한다는 걸 보여준다. 그녀는 다른 이들과 동등하지 않다. 그녀는 그들만큼 가치 있지 않다. 너 같은 애랑은 친구 아니거든, 하고 모니크 C는 말했다. 무리 속 자기가 차지한 자리에 대해 그녀는 전처럼 태평하게—혹은 가볍게—생각할 수만은 없다.

그렇다고 그 무리에 속해야 할 필요가 줄어든 건 아니다.

자신을 보호하거나 긍지를 지키기 위해 무리와 더 어울리지 않고 다른 몇몇 여자 지도강사들처럼 일찍 잠자리에 들어야겠단 생각이 그녀에게 떠올랐을 거라고는 생각조차 하지 않는다. 그녀는 방학 캠프에 들어온 이래 그녀가 발견한 것들, 멀찍이 떨어진 한 줌의 호의적인 어른들의 통제 아래에 있을 뿐 그 밖의 사회와는 단절된 장소에서 또래들 사이에 섞여 살아가는 커다란 기쁨을 포기할 수 없다. 장난의 일환으로 완전히 다리를 뻗고 눕지 못하게 깔아둔 침대 시트와 말장난, 외설적인 노래, 조롱과 상스러움으로 단단히 다져진 공동체에 속한다는 흥분을. 마치 젊음이 다른 이들의 젊음—집단적 취기—과 만나면 점점 더 커지기라도 하듯, 온몸과 마음으로 느끼는 행복감을.

그곳에 있는 수백 명의 아이들로 인해—내 기억 속에서—배가 되던 행복. 아이들의 놀이와 웃음소리, 고함소리는 아침부터 공간을 가득 채우고, 점심시간이면 커다란 구내식당을 천둥처럼 가득 울리다 매일 밤 푸른 취침등 불빛이 드리워진 공동침실의 높은 천장 아래서 서서히 잦아드는 떠들썩함 속으로 녹아들곤 했다.

무리가 주는 행복이 모욕보다 더욱 컸기 때문에 그녀는 그들 곁에 남고 싶어한다. 나는 그들을 무의식적으로 따라할 정도로 그들과 닮기를 열망하는 그녀를 보고 있다. '네 인생 타령 좀 그만해', '닥치고 하던 거나 계속해', '어림 반 푼어치도 없는 소리, 엿이나 드셔', '오버 좀 하지 마', 결국엔 끔찍할 정도로 형편없다고 생각하면서도 그들의 말버릇을 따라하는. 아니면 그들처럼 문장을 바스노르망디식으로 끊어 말하는. 무리 내에서 사범학교 학생들과 졸업생들은 종교 개입을 반대하는 쾌활한 집단이었는데, 그들은 자신들이 엘리트에 속한다는 확신으로 끈끈하게 묶여 있었다. 그녀는 결속력 단단하고 자부심 넘치는, 남녀로 이루어진 그 패거리를 부러워한다. 그녀는 그들이 스스로에 대해, 이름을 줄여 부르는 그들의 학교에 대해 말하는 걸 듣는다. 그들이 '죄다 성적으로 억압된' 수녀들이 있고, 의무적으로 기도해야 하는 가톨릭 교육을 흥분해서 조롱해대기 때문에 그녀는 애초부터 자신이 그런 이야기를 할 자격이 없음을 알고 기숙사 이야기는 절대 꺼내지 않는다.

모욕의 가역성. 새로 온 지도강사 앙드레 R이 지난 방학 캠프에서 열네 살짜리 여자아이를 '따먹었다'고 허세를 부렸다는 소문이 돌아서, 무리는 그에게 교훈을 주기로 결정했다. (무리의 기준에 따르면 무엇보다 그는 그런 짓을 할 만한 '능력이 없는' 편으로 여겨져야 하지 않았나?) 1958년 여자아이는 그게 훌륭한 생각이라고 생각한다. 그러려면 우선 그를 취하게 해야 하는데, 그녀가 그 역할을 맡기로 한다. 나는 그녀가 그와 춤을 추고 자기는 한 모금도 마시지 않은 화이트와인 병을 건네는 걸 본다. 그런 다음 턱수염 난 지도강사가 진한 붉은 물감을 묻힌 붓으로 등 위에 정액 방울들이 떨어지는 커다란 남자 성기를 그리는 동안 그가 눈이 가려지고 윗도리가 벗겨진 채 의자 위에 서 있는 걸 본다. 나는 '내가 너한테 커다란 좆을 그려줬어!'라는 말과 함께 웃음이 터지는 소리를 듣는다. 그는 그냥 그렇게 하도록 내버려둔다. 혼자일 때 그런 장난에서 어떻게 달아날 수 있단 말인가. 이번에 그녀는 그 원에 속해 있다.

매일 아침 글을 쓰는 순간 내 앞에 다시 떠오르는 일종의 그림 — 푸른색 옷을 똑같이 입어서 잘 구분되지 않는 아이들이 있는 잔디밭 위의 성을 위에서부터 아래까지 그린 그림 — 에는 다음과 같은 것들이 있다.

그들, 지도강사들, 남자 강사들이 주도해서 부르던 외설적인 합창, 그들의 목소리, 그들의 웃음소리 그리고 그들의 노래.

그, 멀리 떨어진 채, '그들'과 같이 있거나 '그들' 위를 떠다니는 H, 그림 속의 천사.

그녀, 그들과 함께하는 장면의 한가운데에 있는 아니 D.

그 그림 속에 나는 없다. 거기엔 오직 다른 이들만이, 감광판 위에 찍히듯 그녀, 아니 D 위에 찍혀 있는 다른 이들만이 있을 뿐이다. 성벽에 가두어진 폐쇄된 공간 너머 존재하던 1958년 여름의 다른 세계들 역시 존재하지 않는다.

식당에 있는 텔레비전을 통해 풍문처럼 방학 캠프에서 들을 수 있던 사건들 중 지금까지 내 기억 속에 남아 있는 것은 없다. 드골이 공표한 국민투표는 예외인데, 그 일은 '부결' 지지자였던 공산주의자 교사들을 격렬하게 동요시켰고, 아니 D가 발언을 하기보다는 관객이 되어 들어야만 했던 여러 논쟁들을 촉발시켰다. 내게 남아 있는, 알제리에서 있었던 '사건들'의 실체를 구체화하는 이미지는 매일 정오에 조리사가 금발 여자의 접시 옆에 가져다놓던 항공우편뿐이다. 어떤 남자들도 그들 모두 직면하고 있던 위협 즉 알제리 산악지대로 파병될지도 모른다는 위협에 대해 단 한 번도 언급한 적이 없었던 것 같다. 어쩌면 그들은 자신들이 깃발 아래로 소집될 때는 '폭도들'이 '진압'되어 있을 거라고 생각했는지도 모른다.

나는 당시 프랑스에서 벌어졌던 테러(자크 수스텔*을 공격한 테러의 경우, 행인 한 명이 사망했고, 세 명이 상해를 입었다) 목록을 인터넷에서 읽고 있다. — 철도 파손, 카페와 경찰서에 대한 일제사격, (포아시의 생카, 그르노블의 페쉬니 등의) 공장과 정제공장(노트르담드그라방숑마르세유)의 화재 같은 사건들이 1958년 8월 말(25일에는 열다섯 건의 테러가 있었다)부터 9월 말까지 거의 매일 일어났다. 대부분은 신문기사로 다뤄졌고(〈르몽드〉, 〈르피가로〉, 〈뤼마니테〉, 〈콩바〉) 텔레비전에서는 다뤄지지 않은 듯하다. 이런 행위들은 FLN**에 의해 자행되었으며 프랑스 본국에 갈등을 낳았다. 그에 대한 반발로, 8월

---

* 종전 후 프랑스의 정보장관, 식민지 장관, 알제리 총독 등을 역임했던 프랑스의 정치가 겸 인류학자. 이후 드골이 알제리 독립을 승인하는 쪽으로 방향을 틀었을 때 반대 의견을 피력했다.

** 민족해방전선(Front de libération nationale)은 알제리의 민족주의 정당으로, 식민지 시절 독립운동을 전개했으며, 1962년 알제리 전쟁에서 승리한 이후에는 유일한 합법 정당으로서 사회주의 국가 건설을 이끌었다.

27일 ‘미셸 드브레 장관은 북아프리카인들의 야간통행 금지를 도입.’ 그리고 8월 28일, ‘파리의 이슬람 공동체 일제 단속. 조사받기 위해 경륜장에 모인 3천 명의 남자들.’

나의 기억 속에서는 이러한 사실 중 어느 것도 희미한 빛조차 띠지 않는다. 그러니까 오늘날의 관점에서 전쟁의 분위기처럼 여겨질 만한 어떤 것도 S의 여자아이를 동요시키지 않았다. 게다가 나는 그녀가 드골이 공언했듯 프랑스의 것으로 남아야 마땅한 알제리의 ‘질서 수호’에 찬성했으리라고 확신한다. 갈등이 지속되는 3년 동안 그녀가 워낙 익숙해져서일 수도 있고, 옛날부터 남자들의 전유물처럼 여겨지던 그런 죽음, 먼 곳에서의 죽음에 대한 낭만주의적 생각에 물든 어렴풋한 몰이해 때문이었을 수도 있다.

아마도 방학 캠프와 관련되지 않은 모든 것에 대해 내가 눈을 감고 있었기 때문에, 나는 1958년이란 날짜를 신문이든 책에서든 발견할 때마다 갑작스럽게 모든 독서를 중단하게 되는 것 같다. 그럴 때면 나는 다른 이들이, 모르는 사람들이 경험한 사건들과 동시대를 산 사람이 다시 되고, 다른 이들과 함께 사는 세계와 또다시 연결된다. 마치 다른 이들이 지닌 현실성이 1958년 여자 아이의 현실성을 증언해주는 것처럼.

2001년 9월 11일, 베니스의 산스테파노 광장에 있거나 멘디칸티 운하를 따라 걸을 때, 혹은 폰다멘타 누오베에서—이건 내가 사후에 재구성한 경로다—나는 틀림없이 뉴욕 쌍둥이 빌딩의 붕괴도 기억을 퇴색시키지 못한 1958년 9월 11일에 대해, 내가 어리석음의 왕관을 쓰던 그날에 대해 생각하고 있었을 것이다. 이 두 사건은 43년이라는 시차에도 이제 긴밀히 연결되어 있다. H는 알아차리지 못했고 그 이후에도 절대 알아차리지 못한, 그가 나의 첫 번째 연인이 된 그 밤.

9월 11일에서 12일로 넘어가던 저녁과 밤 사이에 그 일이 벌어지게 된—내게 기적처럼, 예정된 운명의 사인처럼 여겨졌을 게 틀림없는—상황을 제외하고 내게 남아 있는 기억은 모든 생각이 사라진 몇 개의 이미지뿐이라는 걸 나는 깨닫는다. 마치 욕망이 실현되면서, 그

것이 아닌 모든 것을 사라지게 만들기라도 한 것처럼. 그러므로 나는 다음 날 캠프를 떠나는 H가 기념으로 퐁뒤 파티를 열려 한다는 사실과 금발의 여자 교사가 캉으로 휴가를 떠나 그 파티에 참석할 수 없으리란 것을 어느 순간에 알게 되었는지 조금도 기억해낼 수 없다.

첫 번째 이미지 속 여자아이는 신이 난 다른 아이들과 마찬가지로 전기 버너 위에 놓인 퐁뒤 냄비 주위를 배회하고 있다. 나는 미칠 듯한 희망 탓에 잔뜩 긴장한 채 어쩌면 자신의 시간이 다가오길 기도하고 있을지도 모르는 그 여자아이의 모습을 상상해본다. 전등불이 꺼지고, 누가 댄스 파트너를 바꾸라고 빗자루로 쳐서 신호를 주었을 때, 그녀는 또다시 H의 품에 있게 됐다. 그는 곧장 그녀의 치맛자락을 들추고 자신의 손을 그녀의 팬티 안에 거칠게 집어넣는다. 바로 그 순간, 광포한 기쁨이 그녀를 덮쳤다. 첫날 밤 이후, 3주 동안이나 기다렸던 몸짓에서 비롯된 상상을 초월하는 유린. 그녀 안에는 자신의 가치가 실추된다는 어떤 느낌도 없다. 그, H에 의해 소유되고, 순결을 빼앗겼으면 하는, 강간의 욕망만큼이나 맹렬하고 단순한, 날것의—화학적으로 순수한—욕망 말고 다른 것은 아무것도 없다. 그가 그녀에게 자신의 방으로 따라오라고 말한다—물어본 걸까? 명령한 걸까? 모든 것이, 그녀가 틀림없이 계산했을 피임주기마저도 그녀의 욕망을 충족하는 데 순조로운 방향으로 흘러간다. 그녀는 앞으로 벌어질 일에 대해 다 알고, 모든 것을 원한다. 그저 감내하기만 했던 3주 전의 밤과 달리, 그녀가 선택한 밤이다.

두 번째 이미지에서, 나는 침대 위에 다리를 벌린 채 누워 그가 밀어넣을 때마다 비명을 참는 알몸의 그녀를 본다. 헤라클레스의 열세 번째 임무가 뭘까? 어쩌면 그런 수수께끼가 그녀의 머리에 떠올랐는지도 모른다. 전희를 위한 애무 — 그런 개념은 알지 못했다 — 는 없었고 그는 애쓰지만 실패한다. 어쩌면 그는 그녀가 기쁜 마음으로 그에게 해준 오럴섹스를 받은 후 또다시 '내가 너무 커'라고 말했을지도 모른다.

나는 그와 쾌락에 겨워, 침대에 누워 있는 그를 응시하는 그녀를 본다. 이건 내가 그 일이 있고 나서 일기장에 쓴 표현인데, 일부러 운율을 맞춘 이 문장을 10년 후에 다시 읽고는 형편없는 문학이라고 생각했던 기억이 난다. 그는 그녀가 쾌락을 느끼지 못했다는 걸 신경 쓰지 않고, 여자들은 많은 경우 첫 출산을 하고 난 후에야 쾌락을 느낀다고 말한다. 그가 협탁 위 액자에 담겨 있는 갈색 머리 여자 — 웃고 있고 예쁘다 — 의 사진을 보여준

것으로 보아 그녀가 금발 여자에 대해 언급한 게 틀림없다. '내가 사랑하는 여자는 한 명밖에 없어, 바로 내 약혼녀야.' 갠 처녀야, 그가 말한다. 자신은 언제나 자기가 처녀성을 뺏은 여자들과만 사랑에 빠졌다고도. 그녀는 자신이 그가 사랑에 빠질 만한 처녀는 아니라는 것을, 아니면 그가 자신의 처녀성을 빼앗는 데 이르지 못한 것에 이래저래 만족하고 있다는 사실을 이해한다. 그에겐 아무런 상관이 없다. 그녀는 굴욕스럽지 않다. 그는 일찍 떠나서 자야 하니까 방으로 돌아가라고 그녀에게 말한다. 그는 새벽 6시에 작별 인사를 건네러 가겠다고 약속한다. 11일에서 12일로 넘어가는 밤은 대략 한 시간 반 정도 지속됐다.

그녀는 잠자리에 들고 싶지 않다. 그가 새벽에 왔을 때 잠들어 있으면 안 되었다. 룸메이트가 아이들의 숙소에 있어서 그녀는 방에 혼자다. 그녀는 팬티에 혈흔이 남은 걸 발견한다. 형용할 수 없는 기쁨. 그녀는 처녀막이 찢어졌다고, 그가 삽입하지는 못했지만 자신의 처녀성을 가져갔다고 생각하기로 결심한다. 벽장 속 옷 더미 아래 보관해야만 하는 귀중한 피, 증거, 자국. 짧게 끝나버린 밤의 후속편이 그렇게 시작된다, 상상의 날개를 펴는 달콤한 밤이. 이번에 H는 정말로 그녀의 연인이다. 영원한 연인. 기쁨과 평화가 흘러넘치고, 자기 자신을 선물로 바치는 일이 그렇게 완수된다. 하늘과 땅은 언젠가 사라지겠지만 이 밤은 사라지지 않을 것이다. 그녀만의 불의 밤*(그렇지만 누가 그런 밤을 가져보지 않았단 말인가?). S의 여자아이가 느끼는 것은 오직 신비주의적인 말들로만 묘사할 수 있다. 콜레트나 사강의 글이 아니라, 이젠 차마 읽지 못하게 된 소설들, 1950년대 여성잡지에 실린 연재물을 통해서만 우리는 처녀성의 상실, 그 불가역적 사건이 지닌 헤아릴 수 없을 만큼 중요하고 어마어마한 의미에 가까이 다가갈 수 있다.

그날 새벽에 그가 오지 않아서 그녀는 그의 문을 두드리기로 한다. 아무 소리도 들리지 않는다. 그녀는 그가 아직 자고 있나 보다고 생각한다. 그녀는 여러 번 그의 방을 다시 찾는다. (몇 번인지는 잊었다.) 마지막으로, 문을 두드린 후 문을 열려고 시도했다. 자물쇠가 잠겨 있었다. 그녀는 열쇠 구멍으로 안을 들여다봤다. 잠옷 차림으로 등을 돌린 채 기지개를 켜는 그의 모습이 시야에

---

* 파스칼 연구자들이 그의 두 번째 회심이라 부르는 밤을 일컫는다. 1654년 11월 23일 밤 10시 반부터 12시 반까지 파스칼이 하나님을 경험하며 하나님에 대한 신앙의 확신을 얻은 이 밤은 파스칼을 송두리째 다른 사람으로 만든 것으로 알려졌다.

들어왔다. 그는 문을 열어주지 않았다.

자신을 떼어놓기 위해 작별 인사를 하러 오겠다고 약속한 걸지도 모른다는 의혹이 그녀의 머릿속을 잠시 스쳤다 할지라도—나는 그랬을 거라고 생각한다—현실의 어떤 객관적인 지표들도—약혼녀, 지켜지지 않은 약속, 루앙에서 만나자는 약속의 부재—단 하룻밤 사이 저절로 써진 소설 앞에서는 힘을 갖지 못한다. 그 소설은 라마르틴의 「호수」나, 뮈세의 「밤들」, 영화 〈오만한 자들〉 속 제라르 필리프와 미셸 모르강이 서로에게 달려가는 해피엔딩, 아니면 내가 플레이리스트를 확실히 나열할 수 있는 노래들—사랑의 공용어—과 비슷한 스타일로 쓰인 것이었다.

언젠가 너는 알게 될 거야/ 우리는 다시 만나게 될 거야(물루지)

나는 낮이고 밤이고 기다려/ 영원히 기다릴 거야/ 네가 돌아오기를(뤼시엔 델릴)

네가 나를 사랑한다면/ 세상 그 무엇도 나는 신경 쓰이지 않아(에디트 피아프)

내 이야기는 어떤 사랑 이야기이지(달리다)

그 아침은 어제였어/ 어제였고, 벌써 멀어졌지(앙리 살바도르).

바로 이 순간에도, 거리나 탁 트인 공간, 지하철, 대형 강의실에서는, 수백 편의 소설이 사람들의 머릿속에서 한 챕터씩 쓰이고 지워지고 다시 시작되고 있는데, 그것들은 결국 전부 다 죽고 만다. 현실이 되거나, 혹은 현실이 되지 않아서.

지하철이나 고속전철에서 〈내 이야기는 어떤 사랑 이야기이지〉의 도입부가 연주되거나, 가끔은 스페인어로 노래되는 걸 들으면 나는 바로 그 즉시 내가 텅 비는 걸 느낀다. 이제껏—프루스트도 같은 걸 경험했다—나는 그 3분 동안 내가 정말로 S의 여자아이가 다시 되었다고 느끼곤 했다. 그렇지만 다시 나타나는 건 그녀가 아니다. 다시 살아나는 건 그녀가 꿨던 꿈의 현실성, 꿈이 지닌 강력한 현실성이다. 그런 꿈을 품었다는 사실이 나중에 가서 수치심에 의해 억압되고 감추어지기 전, 달리다와 다리오 모레노가 부른 노랫말에 실려 온 우주로 뻗어나갔던.

나는 인터넷 전화번호부에서 두(Doubs) 지방 항목 아래 그의 성을 입력해봤다. 같은 성을 가진 사람이 검색되었지만 이름이 달랐다. 확신이 없는 상태로 1분 후, 전화번호부의 조언에 따라 나는 '이웃 행정구역 찾기'를 해보았다. 내가 모르는 어떤 마을, 혹은 작은 규모가 분명한 어느 도시의 주소와 함께 그의 성과 이름이 검색됐다. 전화번호도. 나는 믿기지 않아 50년 동안 어디에도 쓰여 있는 걸 본 적 없는 그 글자를 응시하며 모니터 앞에 앉아 있었다. 그러니까 1958년 9월 마지막으로 들었던 목소리를 듣기 위해선 이 번호를 누르기만 하면 되었다. 실제 목소리. 그 행위의 단순함이 두렵게 느껴졌다. 내가 번호를 누른다는 상상만으로도 공포가 나를 짓눌렀다. 어머니가 죽고 난 이후 몇 개월 동안 수화기를 들기만 하면 어머니의 목소리를 들을 수 있을지 모른단 생각이 들 때마다 내가 느꼈던 것과 유사한 공포였다. 마치 금지된 국경을 넘는 것처럼. 마치 그의 목소리를 듣는 바로 그 순간, 지난 50년의 간극이 소멸되고 내가 다시 1958년의 여자아이가 되어버릴 것처럼. 죽은 사람을 불러내는 영매 앞에 섰을 때처럼, 나는 욕망과 두려움 사이에 놓여 있었다.

잠시 후, 그의 목소리를 알아듣지 못할 가능성도 있다는 생각이 들었다. 이혼 후 15년이 흘렀던 어느 날 어떤 비디오에서 흘러나오는 전남편의 목소리를 들었을 때 그의 목소리를 알아듣지 못한 것처럼. 아니면 그 목소리를 들어도 내게 아무런 일이 일어나지 않을 수도 있었다. 지금 내 존재를 1958년의 존재로 변신하게 하리라며 그 목소리에 부여한 힘은 거의 신비주의적인 것에 가까운 환상이 틀림없었다. 별다른 노력 없이, 시간의 기적적인 합선을 통해 1958년 여자아이에 가닿을 수 있으리란 환상. 결국 내가 H에게 전화를 해서 얻게 되는 건 위험보다는 실망일 가능성이 더 컸다.

9월 11일 밤 이후, 그녀는 계속해서 무리와 어울리지만 무엇도 그녀를 건드리지 못한다. 그들은 그녀의 꿈에 대해서 아무것도 모른다. 그가 루앙에서 다시 만날 약속을 잡자고 하지 않았다는 사실은 중요하지 않다. 그녀는 10월, 철학 계열로 진학하게 될 잔다르크 고등학교에서 나와 길을 걷다가 우연히 그를 다시 만나게 될 거라고 확신한다. 그녀는 그가 체육교사로 일하는 곳이 좌안의 남자 기술중학교라는 것 말고는 아무 정보도 갖고 있지 않다.

방학 캠프의 마지막 2주에 대해 갖고 있는 이미지는

거의 없다. 볼품없지만 변함없던 나의 꿈 때문에 현실이 내 기억 속에 비집고 들어올 수 없던 것이 틀림없다. 휴가를 받았던 어느 오후, 그녀는 붉은 암석들에 둘러싸인 호수가 내려다보이는 바위 위에 앉아 있다. S 근처 숲속, 한가운데가 물로 가득 찬 버려진 채석장이었다. 히치하이킹을 한 후, 차도에서부터 협곡이라고 부를 만한, 갑작스럽게 탁 트인 이곳에 이를 때까지 돌투성이 길을 오랫동안 걸었다. 몇몇 십대 남자애들이 도착했고, 그들은 자전거를 세워두고 물에 들어가 장난을 쳤다. 그들이 인사를 건넸지만, 그녀는 아무런 대답을 하지 않을 것이다. 왜냐하면 '예쁘지 않으면 착하게 굴어야지' 같은 소리를 했기 때문에. 캠프의 무리가 놀리는 소리보다 그 말이 그녀를 더 화나게 한다.

그녀는 점점 더 많이 먹는다. 풍족한 음식을 양껏 먹을 수 있는 기회를 자제하지 않고 누리면서. 그녀에게 필수불가결해진 기쁨을 느끼면서. 그녀는 몰래 훔쳐 먹는 것을 멈출 수가 없다. 보건실에 어린이들 몫으로 준비되어 있는 토마토 슬라이스를 커다란 샐러드 볼에서 바로 꺼내 먹는다. 그녀는 이브토에서 꿈꿨던 모든 자유를 S의 제과점에 모카 케이크나 커피 맛 에클레르를 사러 왔다 갔다 하는 것으로 실현한다.

나였던 여자아이, 아니 D를 오른 지방의 S 기차역 앞 인도에 다시 세워놓은 날 이후 여름과 가을, 겨울이 흘러갔다. 그 시간 동안 나는 그 1958년 여름이라는 시간의 경계를 앞으로도 뒤로도 뛰어넘는 걸 거부하면서 방학 캠프라는 공간에 갇혀 있었다. 미래가 없는 일종의 몰입 상태에 그대로 있도록 노력하면서. 그 결과, 나는 그 시간들을 최대한 가까이 탐색하고 그 시간들이 글쓰기를 통해 실제로 존재하게끔 하기 위해서 방학 캠프에서 보낸 6주간의 시간을 40여 주의 시간으로, 정확히는 273일로 늘려 아주 천천히 앞으로 나아갔다. 100페이지가 좀 넘는 책을 읽는 두어 시간 동안 젊은 날의 여름이 지닌 어마어마한 너비와 폭을 체감할 수 있게끔 만들기 위해.

자주, 나는 내 책을 끝마치고 나면 죽을 수도 있겠다는 생각에 사로잡히기도 했다. 그 생각이 무엇을 의미하는지는 모른다. 출간에 대한 두려움인지, 완성했다는 만족감인지. 책을 다 쓰고 나면 죽을 수도 있겠다고 생각하지 않고 글을 쓰는 사람들, 나는 그들을 부러워하지 않는다.

S를 떠나기 전, 나는 마지막 이미지 앞에 멈춘다. 아이들이 기차역으로 향하는 버스를 탔고, 첫날의 고요가 갑작스럽게 성벽 안쪽에 다시 찾아왔으며, 그녀는 모든 걸 마지막으로 한 번 더 보기 위해 시내로 걸어갔다. 그녀는 혼자, 옛 빨래터 옆에 서서 바로 그 순간 강의 반대편에 떠 있는 5시의 햇살에 요양원의 긴 벽이 빛나는 것을 뚫어지게 바라보고 있다. 자신이 태어난 이래 가장 행복했다고 확신하는 그 장소를 바라본다. 파티를, 자유를, 남자의 육체를 발견했던 장소. 그녀는 떠나지 않기를 바란다. 그러나 모두가 집으로 돌아가기 위해 서둘러 이미 떠났거나 떠나는 중이다. (아마도 나는 그런 삶이 영원히 지속되길 바랐던 유일한 아이였을 수도 있다.) 바로 그 순간에는 루앙에서 H를 발견할 수 있을지 모른다는 희망도 그녀가 지금 느끼는 공허함을 채워줄 수 있을 것 같지 않다. 여름의 동지들을 떠나서 1년을 어떻게 살아갈 수 있을까?

그렇지만 나는 오른 강가에서 울며 크림이 잔뜩 든 케이크를 먹어치우는 여자아이가 자신이 경험한 것들에 자부심을 느끼고 있으며 자신이 받았던 모욕이나 수모 같은 것들은 대수롭지 않다고 여긴다는 걸 알고 있다.

그녀는 앞으로 다가올 날들의 자기에게 어떻게 영향을 미칠지를 상상하거나 가늠할 수 없는 새로운 지식과 경험을 갖게 되었다는 사실에 자부심을 느끼고 있다. 배운 것이 어떤 미래를 불러올지는 예측할 수 없는 법이다.

그녀는 자기와 닮은 부류의 사람들을 만나지 않았다. 달라져버린 건 그녀다.

이번에 — 2015년 4월 28일 — 나는 방학 캠프를 확실히 떠난다. 글쓰기를 통해 되돌아가, 여러 달 동안 그곳에 머물기 전에는 그곳을 떠나지 못했다. 나는 떨면서 알몸으로 누워 있던, 그다음 날부터 내가 열광적인 사랑을 맹세하게 될 남자의 성기로 곧장 입을 틀어막혔던 그 침대에서 일어나지 못하고 있었다. 2001년에 나는 이렇게 쓰기까지 했다. 'S의 방과 카르디네 거리에 있던 임신중절시술사의 방 사이에는 절대적인 연속성이 있다. 나는 어떤 방을 거쳐 다른 방으로 옮겨가고, 그 둘 사이에 있었던 것들은 지워졌다.'

나는 마침내 1958년 여자아이를 구출해냈고, 우리가 바로 여름의 아이들이지라고 노래 부르는 아이들로 가득했던, 오른 강가의 웅장하고 오래된 건물에 50년간 그녀를 가둬두었던 주술을 깨뜨린 것 같다.

나는 말할 수 있다. 그녀는 나고, 내가 바로 그녀라고.

여기에서 멈추는 것은 불가능하다. 내가 지금 하고 있는 이야기 속에선 미래인, 과거의 어느 시점에 도달하기 전까지는. 방학 캠프 후 2년이란 시간이 더 흐르기 전에는. 여기, 내 원고지 앞에서, 그 두 해의 시간은 나에게 과거가 아니라, 실재하지는 않지만, 깊이 있는 미래다.

이것은 5×6센티미터 직사각형 형태에 가장자리가 톱니 모양인 흑백 사진이다. 오른쪽에서부터 왼쪽을 살펴보면 널판을 세로로 세워 만든 가림벽 앞에 나란히 금속 창살이 있는 침대와 거기에 바싹 붙어 있는 서랍 달린 네모난 목제 테이블이 있고, 같은 선상으로 테이블 옆에는 복도 밖에서 내부구조를 들여다볼 수 있게끔 유리창이 위쪽에 나 있는 문이 닫혀 있다.

사진의 정중앙을 차지하고 있는 테이블 위로는, 소매 없는 여름 원피스가 가림벽에 걸려 늘어져 있다. 원피스는 양복걸이로 사용되는 하얀색 에나멜 구슬 두 개에 진동 부분이 걸려 있다. 꽃과 아라베스크로 이루어진 화려한 무늬가 프린트된 원피스인데, 허리 부분에 주름이 많이 잡힌 걸 보면, 폭이 아주 넓은 치마라는 걸 알 수 있다. 펼쳐진 두 권의 책—혹은 공책들—, 낱장으로 된 종이들, 필통이 놓여 있는 테이블에 밑자락이 닿은 원피스 위로 빛이 떨어져 내리고 있다. 문을 새하얗게 밝히고, 손잡이 위의 시커먼 땟자국과 빗장이 있었을 자리에 남아 있는 흔적을 두드러지게 할 만큼 눈부신 빛이다. 그늘진 침대의 헤드 부분에는—절반 정도만 사진 속에서 볼 수 있다—파자마나 잠옷일 것이 확실한 연한 색 옷이 동그랗게 말려 있고, 가장 위쪽에는 무엇을 그린 것인지 흐릿해 잘 알아보기 힘들지만, 틀림없이 종교적인 걸 담고 있을 자그마한 그림이 압정이나 풀로 가림벽에 고정되어 있다.

맹인의 커다랗고 하얀 눈을 연상케 하는 구슬 모양의 양복걸이에 걸린, 아무도 입지 않은 옷은 기묘한 분위기를 풍긴다—불분명한 배경 앞에 있는 머리 없는 생명체처럼. 동시에 원피스는 장식이 거의 없는 배경과 대조되어 호화롭게 보이기도 한다. (순간적으로 나는, 〈네 멋대로 해라〉의 벨몽도가 들춘 지나가는 여자의 치마만큼이나, 패티코트를 입은 듯 원피스를 풍성하게 만들어주는 받침살 박힌 러플 치마 위에 그 원피스를 막 걸쳐 입고, 그 옷과 잘 어울리는, 에람에서 산 연초록색 펌프스를 신어야 할 것 같은 기분을 느낀다.)

사진에는 깊이감이 전혀 없어서 입체감 없는 그림처럼 납작한 느낌을 자아낸다. 방이 좁고, 카메라가 넓은 각도로 찍지 못한 탓에 햇살을 받고 있는 유일한 물체인 가림벽 말고 다른 건 포착할 수가 없었다. 사진의 뒷면에는, 푸른색 수성펜으로 이렇게 쓰여 있다. 떠나기 전의 에른몽 기숙사 칸막이방, 1959년 6월.

나는 이 사진을 철학 필기시험을 본 이후 찍었다. 얼마 전부터 나는 카메라를 한 대 가지고 있었는데, 베이클라이트 소재로 된 코닥 브라우니 플래시로, 부모님이 도매상에게 받은 것이다. 장사하는 직업 특성상, 부모님은 대량으로 물건들을 살 때마다 온갖 종류의 선물을 받곤 했다. 평상시에는 창문 아래 놓여 있는 테이블을 내가 침대 옆에 바짝 붙이려고 옮겨서 사진에 지금처럼 찍혀 있다는 걸 나는 기억하고 있다.

방을 사진으로 찍는 행위가 내게 무슨 의미를 지녔는지는 알 수가 없다. 그 후로 나는 40년 동안 그런 일을 하지 않았고, 할 생각조차 하지 않았다. 어쩌면 지금의 내게 사진 중앙에 찍혀 있는 두 가지 사물이 상징하고 있는 것처럼 보이는 나의 불행과 변신의 흔적을 나는 갖고 싶었던 것일지도 모른다. 1년 전 여름 방학 캠프에서 내가 가장 자주 입었던 원피스와 철학을 공부하기 위해 내가 수많은 시간을 보내야 했던 테이블.

나는 좀 더 세부적인 요소들을 찾아내기 위해 이제 돋보기를 들고 사진을 바라보고 있다. 나는 걸려 있는 원피스의 주름진 부분과 문틀을 타고 내려오는 검은 전선 끝에 매달려 있는 금속 전기 버튼—오래전부터 생산하지 않는 모델이다—을 집중해서 보고 있는데, 이 버튼이 대체한 이전 버튼의 흔적이 위쪽에 남아 있다. 나는 기억을 하려는 것이 아니라, 사진을 찍고 있는 여학생 기숙사 칸막이방 안에 있으려 하고 있다. 그때보다 이전이나 이후가 아니라, 바로 그 순간에 거기에 있으려고. 영원히 떠나는 그 장소를—그녀는 그렇다는 걸 알고 있다—찍고 있는, 곧 열아홉 살이 될 여자아이였던 그 순간의 순수한 내재성(內在性) 속에. 문 위에 드리워진 하얀 빛을 응시하고 있으려니 소리들이 밀려온다. 매시간 울리던 종소리. 기숙사 총무가—수녀들이 고용한 가난한 여자아이였다—6시 반에 우리를 깨우기 위해 돌아다니며 문을 재빠르게 두드리던 소리와 곧이어 들려오던 〈은총이 가득하신 마리아님〉. 방 밖으로 나오며 (내 방은 아니었다) 졸린 목소리로 웅얼거리며 따라 부르던 그 노랫소리. 수업을 마치고 돌아오는 어떤 여자아이가 내 방 앞을 지나갈 때면 들려오던 마루의 삐걱거림, 가림벽 전체를 흔들곤 했던 문 닫히는 소리, 자기 물건들을 정리하며 그 아이가 흥얼거리던 콧노래. '기쁨을 간직하라, 고통을 간직하라. 배가 다시 오는지 아는 자가 누구냐. 잃어버린 사랑은 더 이상 결코 돌아오지 않네.' 바로 거기에, 나는 정말로 있다. 비탄을, 기대를, 혹은 마치 거기로 돌아가는 것이 내게 언어를 빼앗아가기라도 하는 듯 말로 표현할 수 없는 어떤 감정을 그때와 똑같이 느끼며.

그 방은 단어들로 샅샅이 묘사하는 것 말고는 존재하게 할 다른 방법이 내게는 없는, 저항하는 실재다.

이 사진을 계속해서 바라보며 내가 원했던 건 1959년의 그 여자아이가 다시 되는 것이 아니라, 실제로 살고 있는 현재—내가 창문 앞의 책상에 앉아 있는 지금 이 순간—가 아닌, 다른 현재가 불러일으키는 특별한 감각을 포착하는 게 아닐까? 연약하고 어쩌면 무용한 정복이지만, 사유의 힘과 우리 삶의 통제를 확장하는 것처럼 보이는 전(前) 현재가 불러일으키는 감각.

내가 쓰고 있는 이 순간에 나라고 부를 수 없는 누군가, 몸은 흐릿한 형체에 불과하고, 시각과 청각으로만 축소되어 있는 누군가가 에르몽의 방을 채운다.

역설적인 것은, 나는 참담한 실패의 한가운데였던

1959년 여름부터 1960년 가을까지 그 방에 있었던 여자아이가 결코 다시 되고 싶지는 않다는 사실이다. 그건 상상만으로도 끔찍한 일이다.

그렇지만 1958년 9월 30일 늦은 오후, 루앙 시내 동명의 거리에 있는 에른몽 수녀원 여자 기숙사 칸막이방에 어머니와 함께 도착하는 여자아이는 방학 캠프에 이어질 다른 형태의 삶에 대한 조바심과 혼란스러운 기대 속에 있다. S에서 번 돈으로 정착에 필요한 침대 커버와 이불을 사준 어머니가 떠난 후, 그녀는 옆 칸의 문을 두드린 후, 놀라고 귀찮은 기색으로 문을 열어 그녀를 바라보는 갈색 곱슬머리의 키가 작은 여자아이에게 쾌활하게 말한다. '안녕, 내 이름은 아니야, 너는?' 이것은 그들이 나눈 유일한 대화일 텐데, 왜냐하면 옆 칸의 여자아이는 미용 견습생이고, 기숙사생 대부분을 차지하는 '미용하는 여자아이들'과 고등학교나 대학교에 다니는 여자아이들은 서로 말을 섞지 않고, 구내식당에서도 서로 다른 테이블에 앉아 밥을 먹기 때문이다.

그녀는 방학에 대해 말하는 기쁨을 느끼고 싶어서 어느 때보다 다른 사람들을 필요로 한다.

처음 몇 번은 밤마다, 방학 캠프 때 배운 '복서랑 수녀한테 제일 좋은 점이 뭐게?' 같은 수수께끼를 내고, 〈어머니, 동정이 뭐예요?〉나 〈플라톤 아버지의 박물관〉 같은 지저분한 노래들을 부른다. 그녀는 주변의 다른 여자아이들이 보이는 신중한 반응을 그다지 신경 쓰지 않았는데, 그중 한 명이 차분한 목소리로 자기 친구들 중에는 그런 식으로 말하는 사람이 한 명도 없다고 말하기 전까지, 그 애들이 부러워하거나 감탄하고 있다고 믿었기 때문이다. (그녀, 성도미니크회 소속 학교를 다녔고, 기업가의 딸이며 매주 펜싱 수업에 다녔던 마리아니크는 내가 그녀를 싫어했던 것보다 틀림없이 훨씬 더 많이 나를 경멸했을 것이다.)

그녀는 방학 캠프의 룸메이트였던 자니에게, 애정과 그리움을 담은 편지를 한 통 쓰고, 또 다른 한 통에는 포도주색 반점이 있고 루앙에 살고 있는 클로딘에게 또 보자고 쓴다. 둘 중 아무도 답장을 보내지 않는다. 나는 바로 그때 그녀들이 나를 뇌가 없는 어린 창녀라고 여기고 있다는 걸 의심했을까?

이브토의 생미셸 기숙학교 시절부터 환상을 품어왔던 잔다르크 고등학교에서, 그녀는 스물여섯 명의 학생 중 그 누구도 알지 못하고, 어느 교사도 그녀를 알지 못한다. 여기에서 아니 뒤셴느는 과거 뛰어난 성적이 부여하던 후광을 갖고 있지 않다. 서로 끈끈하게 뭉쳐 있는 아이들 틈에서 그녀는 자신이 익명의, 보이지 않는 존재라는 걸 알게 된다. 기숙학교 수녀들의 눈에 띄는 감시가 비교적 젊고 우아한 교수들의 무관심으로 대체된 셈인데, 그들의 실력이 얼마나 뛰어난지 느낄 때마다 그녀는 자기가 그들처럼 할 수 있을까 걱정이 될 정도로 감탄하곤 했다.

영어 시간에는 질문을 받을까 봐 공포에 질렸다. 질문조차 이해할 수 없었다. 드디어 체육 수업을 받고 수영장에 갈 수 있다는 사실에 기뻤지만, 기쁨은 곧 실망으로 바뀌었다. 체육관에서의 시간은 지루했고, 수영 수업은 이미 헤엄칠 줄 아는 아이들만 받을 수 있었다. 머지않아 그녀는 수업을 받지 않아도 된다는 의사의 권고를 받게 된다.

그녀가 기대했던 것과 달리, 앞일을 걱정하지 않고 반항적인 여자아이들은 찾아볼 수가 없었다. 여자아이들이 고등학교에서 나오길 생파트리스 거리에서 기다리는 남자들도 없었다. 그녀는 가장 소탈해 보이는 여자아이를 찾아내려 애쓰지만, 막상 찾아도 그 아이들에게 다가갈 엄두는 내지 못한다.

기숙학교에서도 그녀는 사회적 격차를 느낄 수 있었지만, 식료품점 딸인 그녀는 부잣집 아이들보다 훨씬 높은 성적을 받았기 때문에 의기양양할 수 있었다. 부잣집 아이들의 학업 등수는 그들의 부모가 지닌 사회 계층의 순위와 반대인 경우가 많았다. 잔다르크 고등학교에서, 그녀는 주별로 분홍색과 베이지색으로 달리 입어야 했던 원피스 교복이 지닌 획일성 속에서, 명확히 구분하지는 못했지만 사회적 격차를 짐작할 수 있었다.

그녀는 위협적이지만 보이지는 않는 우월함의 분위기 속에 가라앉아 있는 것처럼 느낀다. 자연스러운 일인 양 받아들이면서, 부모의 직업(도지사, 의사, 약사, 사범학교 행정직원, 교수, 교사)이나 루앙의 근사한 지역에 있는 그들의 집들과 곧바로 연관 짓게 될 우월함. 유일한 노동자 계급 출신 여자아이—콜레트 P, 생계장학금을 받는 학생으로 아버지가 벽돌공이다—가 말하는 방식 때문에 아이들이 짓는 연민 어린 미소 속에서 노골적으로 드러나는 우월함. 어느 날은 도도한 학생이 어깨를 들썩이며 콜레트에게 알려준다. '이빨까다'라는 건 우리 말에 없어. 그녀는 콜레트 때문에 수치심을 느꼈다. 그것은 오랫동안 '이빨까다'라는 말을 썼던 자기 자신에 대한 수치심이기도 했다.

그녀는 다른 아이들을, '베르그송에게는 말이야'나 '내년에 나는 파리 정치 대학교에 갈 거야' 혹은 '나는 고등사범학교 수험준비반에 갈 거야' 같은 말을 가볍고 자연스럽게 하는 그들을 지켜보는 관객이다. (그녀는 그 중 어느 것도 알지 못한다.) 그녀가 10월에 읽은 카뮈의 소설 제목처럼, 그녀는 '이방인'이다. 잘 교육받은 순진함과 정숙한 성기를 지닌 분홍색 원피스 차림의 여자아이들 사이에 끼어 있는 습하고 끈적끈적한 이방인.

첫 번째 철학 작문 주제는 그녀를 이름 모를 불안 속으로 몰아넣었다. '지식의 객관적 양태와 주관적 양태는 구분 지어질 수 있는가?' 프랑스어 작문 숙제를 언제나 손쉽게 해치우곤 했던 그녀는 이제 무시무시해 보이는 과제 앞에서 강박관념을 느끼고 있다. 아이디어를 찾고 발전시킬 수 없는 자신의 무능력 탓에 공포에 사로잡히고, 자기가 공부에 적합하지 않은 건 아닌지, 아니면 사람들이 말하듯 '그냥 암기만 하면 되는' 법학을 공부해야만 하는 건지 자문한다.(이 시기에 나는 가족 외의 사람들이 하는 말들은 무엇이든 신뢰한다.)

작문 숙제를 하기 위해서는 방학 캠프와 파티의 추억, 9월 11일의 밤을 스스로 떨쳐버려야 한다. 자기 몸 위에 있었던 남자의 몸이 남긴 자국을 지워야 한다. 남자의 성기가 무엇인지 더 이상 알지 못해야 한다. 그녀는 이제 와 생각해봐도 여전히 몸서리가 쳐질 정도의 노력을 한 끝에 과제를 제출하는 데 성공할 것이고, 평균 정도 되는 점수를 받기까지 할 것이다. 그녀는 말로 표현할 수 없는 결핍 상태에 있다.

그 결핍이 얼마나 크고 폭력적이었는지는 루이 말의 〈연인들〉이 상영되던 옴니아 영화관에서 충격을 받았던 어느 오후의 기억으로 헤아려볼 수 있다. '그는 그녀를 기다리고 있었던 것 같아.' 이 대사가 나오고, 브람스 음악의 첫 소절이 흐르기 시작한 이후, 영화 속에 있는 사람은 더 이상 잔 모로가 아니라 H와 함께 침대에 있던 그녀다. 화면 속 모든 장면들이 욕망과 고통으로 그녀의 마음을 황폐하게 만든다. 동굴 속에 있는 그녀는 화면 속에 있는 자신의 육체로 돌아가 다시 결합할 수 없으며, 긴 세월을 통과한 끝에 이제는 완전히 꺼졌는지, 지금 이 글을 쓰는 순간에도 나로서는 말할 수 없는 그 빛을 H와 함께한 자신의 이야기 위에 비춰주는 이야기 속으로 빠져들 수가 없다. 그녀가 읽는 시들도 그녀의 사랑에 똑같은 빛을 비춘다. 그녀는 카푸친 도서관의 〈오늘날의 시인들〉 총서 중 빌릴 수 있는 모든 책을 빌렸고, 아폴리네르(「루에게 바치는 시」), 엘뤼아르, 트리스탕 드렘, 필리프 수포 같은 시인들의 시를 긴 구절 필사한다. (빨간 수첩에 적힌 구절들을 다시 읽으며 나는 그 시들을 외우고 있다는 걸 깨닫는다. 네가 나를 여전히 사랑하는지 모르겠다 내 사랑아, 저녁 나팔들이 천천히 신음하고 있네.)

이따금 나는 읽고 있던 페이지에서 머리를 들고, 주변에 대해 무관심해지게 만드는 마음속의 시선으로부터 빠져나온다. 나는 바깥에서, 전나무 무리를 따라 내려다볼 수 있도록 난 좁은 길에서 나를 관찰하는 누군가처럼 나 자신을 본다. 커다란 램프로 밝혀진 창가의 작은 책상에 앉아 있는 나를. 사람들이 일반적으로 꽤 좋아하는 관습적인 이미지. (신문이나 텔레비전에서 사용할 이미지를 위해 그런 자세를 취해달라는 요구를 나는 자주 받았다.)

나는 어떤 여자가 50년도 더 되었고 자신의 기억으로 뭔가 새로운 걸 덧칠할 수도 없는 오래된 장면들을 회상하는 것에 어떤 의미가 있는지 궁금하다. 기억이 지식의 한 형태라는 믿음이 아니라면, 도대체 어떤 믿음일까? 그리고 수많은 명사와 동사, 형용사들 중에서 현실에 가능한 한 가장 가까이 도달했다는 확신—허상—을 줄 수 있는 것들을 찾으려는 이 집요함 속에 있는—이해하고자 하는 것을 초월하는—이 욕망은 대체 어떤 욕망일까? 이 여자아이, 아니 D와 다른 누군가 사이에 적어도 단 한 방울이라도 닮은 구석이 존재한다는 걸 발견하고 싶다는 희망이 아니라면.

과거에 있었던 현실을 포착할 때 기억의 신빙성을, 가장 확실한 기억일지라도, 의심해야 한다는 사실을 받아들이지만, 확고부동한 사실도 있다. 나는 S에서의 경험이 지닌 현실성을 내 몸에 영향을 미친 방식으로 파악한다.

생리가 멈춘 것은 10월부터였다.

생식 전반에 대한 무지에도 불구하고, 1958년의 여자아이는 자기가 임신하는 건 불가능하다는 것 정도는 알고 있지만—H가 떠난 이후 생리를 했었다—그녀로서는 다른 이유를 떠올릴 수 없다.

10월 말의 어느 토요일, 나는 커다란 리시유의 성녀 데레사 액자가 위에 걸려 있는, 사용되지 않는 벽난로 옆, 부모님 침대 위에 누워 있는 그녀를 보고 있다. 가족의 주치의인 B의사는 침대 끝에 앉은 어머니가 시선을 떼지 않고 주시하는 그녀의 배를 만지고 소리를 들어본다. 무대 위의 배우들은 말없이 집중하고 있다. 판결이 내려지기 전의 죽음과도 같은 침묵. 수십 년 동안 진료실이나 침실에서 연기되어온 이런 장면은 밀레의 〈만종〉처럼 세월에 변하지 않는, 그림에 필적하는 힘을 지니고 있다. 〈만종〉을 떠올리는 건 고개를 숙이고 있는 B의사와 어머니의 자세 때문일지도 모른다. 나는 여자아이가 무슨 생각을 하고 있는지 알지 못한다. 어쩌면 그녀는 액자 속의 성녀에게 빌고 있을 수도 있다. B의사가 고개를 들고, 마치 여자아이의 결백함을 어머니에게 설득하려는 듯이 갑작스럽게 말을 쏟아놓는다. 이 증상의 이름은 무월경인데요 어머님, 꽤 흔한 일입니다, 포로의 아내들 같은 경우엔 전쟁이 끝나도록 생리를 하지 않기도 했는 걸요! 막연한 안도감으로 거의 즐거움이 느껴지는 분위기. 생각하고 있었지만 단 한 순간도 발설되지 않았던 모든 것이 흩어져 사라진다. 비극은 일어나지 않았다. 그녀가 토요일에 루앙의 고등학교에서 돌아오면 동정 성모 수녀회 수녀가 와서 주사를 놓아줄 것이다.

어떤 치료도 2년간 메말라버린 내 난소 문제를 해결해주지 못한다. 신경과 의사가 처방해준 에카닐 알약도 산부인과 의사가 처방한 요오드 액도. 그녀는 화가 난 어머니에게 이끌려 이 전문가에서 저 전문가로 끌려 다니는데, '계속 그렇게 살 건 아니잖아!' 어머니가 의심하고 있는 게 무엇인지는 경악스러운 협박 속에서 드러난다. "생리가 다시 시작되기 전엔 농업학교에서 열리는 무도회에 못 갈 줄 알아!"

나는 어머니가 나의 결백을 믿었다고 생각하지 않는다. 어떤 식이 되었든 간에, 어머니에게 생리를 하지 않는 것은 방학 캠프와 연관된, 알 수 없는 유죄의 증표였고, 딸은 죄를 지은 대가로 벌을 받는 거였다. 마치 밝힐 수 없는 흠결이라도 되는 듯이 어머니도 나도 그것에 대해서는 아무에게도 말하지 않았다.

'불행' 또는 죽음에 가까워졌을 때의 일인 먼 미래의 폐경 말고는 매달 규칙적으로 피 흘리는 일이 멈출 거라고 상상조차 할 수 없는 여자아이들의 공동체에서 배제되고, 친구들끼리 '마법에 걸렸어' 혹은 '대자연이 찾아왔어' 같은 말들로 서로에게 알리는, 그럭저럭 환영받는

월례 방문을 박탈당한 채 나는 나이를 먹지 않고, 시간의 바깥으로 벗어나 있었다.

1958년 10월, 빌리 홀리데이는 파리 몬트레이 재즈 페스티벌에서, 11월 12일에는 프랑크 테노와 다니엘 필리파치가 기획한 파리의 올랭피아 콘서트에서 노래를 부른다. 그녀는 파리의 마르스 클럽에 그달 말까지 남는다. 술과 마약에 피폐해져 측은한 상태다.

1958년 7월 20일, 비올레트 르뒥*은 35세의 콘크리트공 르네 갈레를 만난다. 그녀는 '50세 인생에 처음 느낀 오르가슴이었고, 그 때문에 나는 서로 쾌락을 향유하는 남자와 여자들의 세계로 저항하지 못한 채 이끌렸다'라고 『사랑의 사냥』에 쓴다. 9월, 그녀는 르네를 옹플뢰르와 에트르타에 데리고 간다. 10월 21일, 그녀는 시몬 드 보부아르에게 편지를 쓴다. '르네가 편지를 쓰지

---

* 비올레트 르뒥(1907—1972) 사생아로서의 삶과 임신중절, 동성애 등 여성의 삶과 섹슈얼리티를 대담하게 쓴 프랑스 작가. 1944년 보부아르의 『초대받은 여자』를 읽은 르뒥은 1945년 자신의 소설 『질식』의 원고를 보부아르에게 보여주었고 작가로서의 재능을 발견한 보부아르는 르뒥을 지지해준다. 이후 『질식』은 알베르 카뮈에 의해 갈리마르에서 출간되어 사르트르를 비롯한 여러 문인들의 찬사를 받는다.

않았어요. 오지도 않았고요. 내게 주어졌던 것을 갑자기 빼앗겨버린 거예요. 나는 죽고 싶어요.' 그녀는 점점 더 고통 속으로 빠져든다. 12월 다시 시몬 드 보부아르에게 '내가 원하는 건 그예요. 나는 불가능한 것을 원하죠' 그리고 '나는 문학을 포기할 거예요'라고 편지를 쓴다. 1959년 봄 완전히 파국을 맞이할 때까지 그들의 관계는 조금씩 와해된다.

이런 것들을 읽으며 나는 감동을 받는다. 1958년 가을, 생로맹 장터의 아우성 속에서 이제르의 대로를 홀로 절망에 잠겨 걷던 열여덟 살 여자아이의 마음이 나아지기라도 하는 것처럼—거의 구원받기까지 한 것처럼. 절망을 느끼던 그 시기에 이 여성들이—당시에 나는 그들의 이름조차 몰랐지만—자기처럼 버려진 상태에 있었다는 사실 때문에. 고통스러운 기억을 위로하고, 같은 시기에 거의 비슷한 일을 겪은 다른 이들의 경험을 통해 우리가 경험한 것이 지닌 고유성과 고독을 산산조각 내려 상상력이 찾아올 때 느끼는 이 회고적 위안의 기이한 달콤함.

책받침으로 쓰고 있던 우체국 달력에 실린 루앙 지도 속에서 위치를 확인한, H가 체육교사로 있던 남자 기술중학교—구글 지도에서 이젠 마르셀 상바 기술고등학교라는 이름으로 검색되는 학교인 듯하다—를 찾아, 코르네유 다리를 지나 센 강을 건너고, 재건 중이던 좌안의 소트빌에서 배회하던 내 모습을 지난 50년간 종종 머릿속으로 떠올려보곤 했지만, 이건 그저 상상 속의 여정일 뿐이다. 1958년 여자아이는 센 강을 건넌 적이 한 번도 없다. 나는 노골적으로 H를 찾아다니는 것처럼 보이고 싶지 않았고, 의심은 했지만 애써 무시했던 진실, 즉 그가 나를 눈곱만큼도 신경 쓰지 않는다는 사실을 눈앞에서 직면하게 할지도 모르는 만남을 갖고 싶지도 않았다. 나는 만남이 우연에 의해서 이뤄지기만을, 평상시 다니던 생파트리스 거리부터 보부아진 광장까지의 길에서나, 휴일인 목요일에 다니던 그로오를로주 거리에서 그를 만날 수 있기만을 바랐다. 그와 만나지 않는 한, 내 꿈은 훼손되지 않았다.

갈색 곱슬머리를 한 고등학교 사감에게 H의 협탁 위에 놓여 있던 사진 속 여자와 닮은 구석이 있었기에, 나는 수업 시간마다 내 옆자리에 앉아 있던 작고 포동포동한 R에게 비밀스러운 어조로 말하곤 했다. '저 사감이 내 라이벌이야.'

어떤 밤에는 공동침실 바깥 층계참에 있는 화장실 변기 위에 올라가, 센 강 쪽으로 난 지붕의 작은 창을 통해 좌안까지 흘러 내려가는 루앙의 빛을 바라보기도 했다. 루앙의 시끄러운 소음, 항구 쪽 사이렌의 울음소리가 들려왔다. 나의 연인이 거기, 어둠이 시작하는 그곳에 있었다. 고통스러웠던 것 같지는 않다. 내 꿈은 형태가 바뀌어 있었다. 내 꿈은 어떤 기대, 다음 여름이 되면 방학 캠프에 가서 H를 다시 만나리라는 기대로 변해 있었고, 나는 그럴 수 있으리라고 확신했다.

나는 구글에 H의 이름을 입력했다. 이름이 6개의 사진이 있는 목록 가장 위에 나타났다. 4개의 사진엔 스무 살에서 서른 살 사이로 보이는 젊은 남자들이 있었으므로 제외시켜야 했다. 다른 두 사진은 단체 사진이었다. 나는 그중 컬러 사진 한 장을 확대하기 위해 클릭했다. 지역 신문에 실렸던 사진으로, 굵은 글씨의 제목이 달려 있었다. 금혼식을 기념하는 E와 H. 바로 그였다. 지역과 마을의 이름을 보면 의심할 여지가 없었다. 사진엔 수많은 하객들이 뒤편으로 나뭇잎이 무성한 잔디밭 위에—틀림없이 한 프레임 안에 모두 들어오게 하기 위해서 그렇게 서게 했겠지만—빽빽이 서로 달라붙은 채 넉 줄을 이루고 서 있다. 그들의 얼굴은 멀찌감치 떨어져 있고 흐릿하다. 사진 속 내 또래 남자들은 모두 머리가 하얗게 셌다. 나는 그 사람들 가운데에서 그를 알아보았는데, 그는 넓은 어깨와 압도적인 뱃살, 가부장적인 인상과 아주 힘세 보이는 체구를 지닌 남자로, 그보다 조금 더 작고 어쩌면 안경을 쓴—알아보기가 힘들다—여자 옆에 서 있다. 그는 오픈칼라 형태의 캐주얼 셔츠를 입고 있다. 그를 응시할수록, 나는 그의 둔한 얼굴, 말론 브란도를 떠올리게 하던 커다란 코를 다시 알아볼 수 있었다. 이제 사진 속에 있는 건 〈파리에서의 마지막 탱고〉의 브란도였다. 세어보니, 사진 속엔 바닥에 앉아 있거나 팔에 안긴 어린이들을 포함해 다양한 연령대로 이뤄진 마흔 명의 사람들이 있었다. 나중에 나는 여름캠프를 떠올릴 것이다. 신문에 따르면, 그 부부는 1960년대에 결혼했고, 그들에겐 많은 자녀와 손주 들, 증손주까지 있다고 한다. 남자의 인생.

찍힌 지 1년도 되지 않은 이 사진보다 더 현실적인 것은 없었지만, 내가 보고 있는 것의 비현실성이 나를 놀라게 한다. 지난 몇 달 동안, 내가 이미지와 감각의 상태에서 단어의 상태로 바꿔가고 있는 S에서 보낸 1958년 여름이라는 과거가 지닌 현실성 옆에 나란히 놓인 현재의, 이 전원적인 가족사진의 비현실성.

우리는 다른 이들의 존재 속에, 그들의 기억 속에, 그들이 존재하는 방식과 심지어 행동 속에 어떻게 남아 있는가? 이 남자와 보낸 두 밤이 내 인생에 영향을 미쳤는데도 나는 그의 인생에 아무것도 남기지 못했다는, 이 믿기 힘들 만큼 놀라운 불균형.

나는 그가 부럽지 않다. 글을 쓰고 있는 건 나니까.

오늘, 구글에서 이 사진을 다시 바라보고 난 후, 나는 거의 낙담에 가까운 모호한 거북함을 느끼고 있다. 난데없는 대가족의 이미지. 무탈하게 사회적 성공의 궤적을 그리며 하나의 씨앗에서 뻗어난, 거대하고 단단한 혈연 공동체의 이미지. 숫자가 지닌 힘. 나는 도스토옙스키의 『지하로부터의 수기』의 주인공처럼 생각한다. '나는 혼자고 저들은 모두야.' 그들은 자신들이 아무것도 모르는 사이 시도되고 있는 기획을 막기 위해 그의 주위에, 그들의 대부 주위에 벽을 치고 서 있는 것처럼, 그들이 살지 않았던 시기, 혹은 나는 그렇지 않지만 잊어버린 시기의 기억에 대항하기 위해 단합하고 있는 것처럼 보인다. 50년 전과 똑같은 광기를 내가 다른 형태로 지속하고 있다고 그들이 비난하는 것만 같은 느낌. 매일 책상 앞에 앉아 여자아이를 만나고, 그녀 안에 나를 녹여가는 형태로. 그녀의 유령이 바로 나다. 사라진 그녀의 존재에 서식하는.

나는 '58. 12. 6. 이브토 농업 지역 학교 무도회'라고 뒷면에 적혀 있는 흑백 사진 속 그 여자아이를 본다. 그녀는 커다란 키와 체격으로, 오른쪽의 남녀 한 쌍을 압도하고 있다. 셋은 모두 야자수처럼 보이는 초록색 식물 앞에 서 있다. 멜빵 달린 뷔스티에의 주름 장식이 가슴을 강조하는 하얀 원피스는 살찐 팔과 두꺼운 종아리를 드러내며 허리 부분부터 나팔모양으로 주름져 퍼져 있다. 그녀는 치아가 고르지 않아 입을 다문 채 웃고 있다. 얼굴은 넓적해 보이고, 깊이가 없는 눈은 근시다. 입술에는 화장을 했고, 짧은 머리카락은 약하게 파마를 했으며 이마에는 애교머리가 드리워져 있는데, 이것이 6개월 전 1차 대입자격 시험 용도로 찍은 사진 속 여자아이와 유일하게 똑같은 점이다. 사진은 4년 전 오딜—사진 속 커플 중 여자아이—이 나에게 준 복사본이다. 내가 갖고 있던 걸 언제 없애버렸는지는 모르겠다. 스물다섯에서 서른 살은 되어 보이고 내 눈엔 S에서 느꼈던 황홀감을 얼굴에 드러내고 있는 듯 보이는 이 거대한 실루엣의 여자아이를 '나다'라고는커녕 '나였다'라고 인정하는 것을 견딜 수 없어 아마 틀림없이 아주 오래전에 버렸을 것이다. 아니면 이 사진을 보면서, 최악이 곧 다가오고 있다는 걸 떠올렸기 때문에.

나는 지난밤 작가들, 아주 많은 작가들을 태우고 달리는 커다란 버스가 등장하는 꿈을 꾸었다. 버스는 거리에서, 부모님의 식료품 가게 앞에서 멈췄다. 나는 그곳이 '나의 집'이었기 때문에 내렸다. 나는 열쇠를 가지고 있었다. 잠시 동안 열쇠로 문을 열지 못하면 어쩌나 하는 걱정을 했다. 나는 내부에 더는 아무도 없다는 걸 알고 있었다. 진열창과 문의 나무 덧창이 닫혀 있었다. 다행스럽게도 열쇠가 열쇠 구멍 안에서 돌아갔다. 나는 안으로 들어갔다. 여름이면 얼룩덜룩한 천으로 가려 어둡게 한, 마당 쪽으로 난 또 다른 진열창으로만 빛이 흘러드는 일요일 오후의 희미한 미광 속, 모든 것은 나의 기억과 똑같았다. 깨어나서, 나는 이 꿈속에 등장하는 유일한 존재, 혹은 나만이 뒷이야기를 이어 쓸 수 있다고, 하지만 뒷이야기를 쓰는 것은 상식에 대한 도전이자 불가능성 속에 나 자신을 밀어 넣는 일이 될 것이라고 생각했다.

하지만 그것이 단 하나일지라도 심리학이나 사회학적인 어떤 설명으로 환원될 수 없는 것들을 수면 위로 드러내기 위해서가 아니라면 글을 쓰는 게 무슨 소용인가. 선입견에 근거한 생각이나 논증에 의해서가 아니라 이야기로써 얻을 수 있는 결과물인 무언가, 펼쳐진 이야기의 접혀 있던 모서리에서 흘러나오고, 앞으로 벌어질, 그리고 이미 저질러버린 일을 이해하는 데—견디는 데—도움을 줄 수 있을 무언가를 드러내기 위해서가 아니라면.

내 꿈이 날마다 어떻게 변했는지 날짜를 기록하는 건 불가능하다. 확실히 말할 수 있는 유일한 건 1959년 1월 개학할 즈음엔 에른몽 기숙사의 여자아이가 다른 사람이 되어 있었다는 것이다. (어쩌면 H 앞에서 내가 너무 바보같이 굴었고 내가 그에게 어울리지 않는 사람 같다고 느끼던 감정이 점점 커질수록 내 꿈도 변해갔는지도 모르겠다.) 이듬해 여름방학 캠프에서 H 앞에 등장할 여자아이는 모든 면에서 새로운 여자가 되어 있을 거였다. 아름답고, 명석해서 그가 넋을 잃게 하고, 그와 함께 보낸 두 밤 사이 다른 남자들 품에서 놀아났던 그녀는 잊어버린 채 그 자리에서 사랑에 빠지고 말게 만들 여자아이. 그렇지만 이 꿈속에서는 그녀가 그보다 이미 우월한 지위를 차지하고 있고, 그녀는 그에게 거리를 둔 채, 그의 욕망에 곧바로 응답하지 않을 것이었다. 지난여름 버림받았던 여자아이는—내가 아직 정하지 않은 유동적인 시간 동안—손에 닿지 않는 상태에 있을 것이다. (나는 여기에서, 내가 연애할 때마다 언제나 너무 뒤늦게 깨닫게 되는, 닿기 어려운 사람이 되고 싶어하는 욕망이 처음으로 생겨난 순간이 이때라는 사실을 확인한다.) 그를 기쁘게 하고, 그가 나를 사랑하게 하기 위해서는 완전히 다른 사람이, 거의 알아볼 수 없을 정도로 다른 사람이 되어야만 했다. 수동적이기만 했던 꿈이 적극적인 형태로 바뀐 것이다.

완벽함에 도달하기 위해 세웠던 제대로 된 계획의 개별 항목들은 이제는 없어진 일기장 속에 적혀 있지만 나는 그것들을 전부 실행에 옮겼던 만큼 비교적 쉽게 다시 적어낼 수 있었다. 목표로 했던 것들은 다음과 같다.

신체적인 변화: 살을 빼기, S의 금발 여자 교사처럼 금발이 되기

지적인 성장: 기숙사에서 저녁마다 다른 아이들과 대화하는 걸 피하고 체계적으로 철학과 다른 과목들을 공부하기

나의 무지와 부족한 사교적 기술들을 채우기 위한 지식을 습득하기—수영과 댄스 배우기— 혹은 내 나이 또래 여자아이들보다 앞설 수 있는 지식을 습득하기—운전을 배워 면허를 따기.

이 실천 목록에는 중요한 계획도 포함되어 있었다. 훌륭한 지도강사가 되기 위해 부활절 방학 동안 CEMÉA* 예비 과정 이수하기.

신체적, 지적, 사회적인 면에서 나의 존재 전부를 바꾸려는 이런 계획에는 내가 그를 볼 수 있을 거라 확신했던 이듬해 여름과 나 사이에 놓여 있던 텅 빈 시간을 잊게 해주는 장점—목적성—이 있었다.

* Centre d'Entraînement aux Méthodes d'Éducations Actives. 직역하면 활동적 교수법 훈련센터로, 1937년에 '모두를 위한 교육'을 모토로 '새로운 교육'을 하기 위해 창설된 단체.

더 이상 S의 여자아이가 아니라 에른몽의 여자아이라고 명명해야 할 그 시절을 되짚어 나가면서, 나는 마치 어떤 과거의 인물을 앞에 둔 역사학자처럼 그녀의 행동에 매순간 영향을 미쳤던 복잡한 요인들에 계속 발이 걸려 넘어지는 위험을, 이 요인들이 발생한 시간적 순서—그러니까 내 이야기가 진행될 시간적 순서—를 확인해야만 하는 위험을 무릅썼다. 사실 이 세상엔 두 가지 종류의 문학밖에 없다. 무언가를 재현하는 문학과 찾아가는 문학. 이 두 가지 중에서 어느 것이 다른 것보다 더 가치 있는 것은 아니다. 전념하려고 그 둘 중 한 가지를 선택하는 사람에게는 아니겠지만.

1959년 1월 23일자 편지는 철학 수업의 중요한 역할에 대한 확신을 더욱 분명히 보여준다. 철학 수업을 가르친 베르티에 선생님—이름은 잔이지만, 선생님들의 이름은 소리 내어 발음해서는 안 되는 금기어다—은 튀어나온 귀와 다람쥐처럼 까맣고 생기 넘치는 눈, 굵고 특이하며 권위적인 목소리를 지닌 작은 여성으로, 에른몽의 여자아이는 이 선생님에게 적대감이 희미하게 물든 존경심을 품고 있다.

'철학이 우리를 합리적으로 만들 수 있다는 건 정말

놀라운 일이야. 타인이 우리의 수단이 아니라 목적이 되어야 한다고, 우리가 이성적이기 때문에 무의식과 숙명론은 우리의 품격을 떨어뜨리는 거라고 생각하고 반복해 말하면서 계속 쓰고 또 쓰다 보니 연애해보려는 마음이 싹 가셔버렸어.'

나는 철학이 지닌 명료함에 충격을 받는다. 데카르트, 칸트, 정언명령, 이 모든 철학이 S의 여자아이의 행동을 비난한다. 철학에는 쨱쨱대지 말고 흥분하라는 명령이나 입으로 받아내는 정액, 창녀 같은 년, 더 이상 하지 않는 생리 같은 것들의 자리는 없기 때문에, 모든 철학이 그녀를 수치스럽게 만들고, 나아가 그녀는 앞서 언급한 편지에서 방학 캠프의 여자아이를 전적으로 거부하기까지 한다.

'가끔은 S에 있었던 그 사람은 다른 여자아이이고, […] 내가 아닌 것 같아.'

이것은 식료품점 겸 카페 딸로서 느끼는 것과는 다른 종류의 수치심이다. 욕망의 대상이 되었다는 데 자부심을 느꼈다는 수치심. 방학 캠프에서의 삶을 자유의 쟁취라고 여겼다는 수치심. '아니 네 몸이 뭐라고 말하니'나

'너 같은 애랑은 친구 아니거든' 같은 말에 대한, 게시판 장면에 대한 수치심. 다른 이들의 경멸과 웃음에 대한 수치심. 이것은 여자아이의 수치심이다.

이것은 또한 10년 후에나 있을 '내 몸은 나의 것' 슬로건보다 앞선 시대의 역사적인 수치심이다. 10년, 역사의 관점에서 보면 짧지만 막 시작하려는 한 사람의 인생의 관점에서는 아주 긴 시간. 10년은 누군가가 경험한 것의 의미가 변하지 않고, 수치스러운 채로 남아 있는 수없이 많은 나날과 시간을 의미하기도 한다. 그리고 1968년 이전의 세계에서 경험했고 그 세계의 규칙에 따라 비난되었던 것의 의미가 다른 세계가 되었다고 전적으로 바뀔 수 있는 것은 아니다. 그것은 여전히 개별적이고 성적인 하나의 사건이고, 그로 인해 느꼈던 수치심은 새로운 세기의 신념 속으로 녹아 없어지지 않고 그대로 남아 있다.

1959년 겨울의 이 여자아이, 나는 자신의 확고한 의지에 자부심을 느끼고, 자신을 점점 더 불행의 나락으로 떨어뜨릴 뿐인 목표를 끈질기게 추구하는 그 여자아이를 바라보고 있다. 일종의 불행한 의지.

나는 우선 그 의지를 내 몸에 극단적인 방식으로 실천한다. 1월 개학 이후 나는 아침 카페오레 한 잔과 금요일—삶은 생선이 나온다—을 제외한 매일 점심때 제공되는 얇은 고기 한 조각, 저녁에 사과 혹은 과일설탕절임과 함께 먹는 수프를 제외하고는 기숙사에서 아무것도 먹지 않는다. 나는 버터 바른 빵과 감자튀김으로 배를 채우던 지난 몇 달 간의 쾌락—언제나 지나치게 일시적이었다—을 자발적인 결핍으로 대체한다. 내 주위 누구도 모범을 보이지 않은 방식의 희생을 내가 해나갔다는 공공연하고도 명백한 증거는 매일 점심때 기숙사의 수녀들이 간식으로 먹으라고 주던 초콜릿이다. 나는 다가올 여름 캠프에서 아이들에게 줄 거라고 말하면서 초콜릿을 건드리지 않고 옷장 속 다른 초콜릿들 옆에 두었다. 나는 이제르의 대로변에 있는 약국에서 산 네오엉티그레 알약의 설명서에 적혀 있는 대로 살찌게 만드는 모든 것을 거부한다. 구내식당에서의 매끼는 내가 가볍게 배를 채우거나 전보다 더 굶주린 채, 하지만 내 몫의 '래핑카우' 치즈를 옆 사람에게 주었다는 사실에 어쨌든 승리했다는 기쁨에 취해 빠져나오는 일종의 모험이 된다. 나는 금식 챔피언이라는 자부심 속에 살아가고, 약국의 체중계와 허벅지에서 찰랑거리는 치마가 나의 성공을 입증해주는 살과의 전쟁에 온몸을 바친다.

내가 허기를 완전히 정복한 것은 아니었다. 나는 공부를 할 때에만 허기를 가까스로 억누를 뿐이었다. 나는 음식 생각밖에 하지 않는다. 다음 식사 때 먹을 수 있는 것이 무엇인지, 내 접시에 담긴 음식의 칼로리가 얼마인지에 따라 내가 존재하는 방식이 결정되기 시작했다. 소설 속 음식 묘사는 성적인 장면만큼이나 나를 격렬하게 사로잡는다. 공동침실에서는, 중학교에서 돌아온 어린 V가 페이스트리를 꺼내며 내는 종이봉투의 바스락 소리를 듣고, 그 아이가 그것을 씹는 걸 상상하느라 아무것에도 집중하지 못한다. 나는 그 아이를 증오했다. 언제쯤 그걸 먹을 권리가 내게도 생길까? 그 결정이 내가 아니라 다른 여자아이, 어떤 대가를 치르더라도 H의 마음을 사로잡기 위해 도달해야만 하는 이상적인 분신에게 달려 있기라도 한 것처럼.

나의 의지가 무너진 건 3월의 어느 오후, 부모님이 의례적으로 그러듯 그들의 르노4CV를 타고 근처의 시골로 드라이브를 떠나 있던 사이, 덧창이 닫힌 식료품점에서였다. 지금 내게는 그 일이 거기, 방학 캠프로 떠나가 전까지 내게는 언제나 풍족함의 장소로 여겨졌던 식료품점에서 일어난 게 자명한 것처럼 여겨진다. 그곳엔 언제나 모든 것이 가득, 그냥 가져갈 수 있도록 있었고, 그래서 내 눈엔 음식들을 찬장 앞에 보관하는 다른 집들이 기이하고, 심지어는 슬퍼 보이기까지 했다. 어떤 슬픈 일이 있어도, 어머니한테 따귀를 맞아도, 과자 상자나 사탕이 담긴 유리병이 위로가 되어주었던 달콤한 유년시절의 왕국. 순식간에 욕망에 대한 모든 통제력을 잃고 조각 치즈와 낱개로 파는 마들렌, 캐러멜로 돌진하는—그랬을 거라고 나는 상상하고 있다—그 여자아이가 무슨 생각을 하는지는 모르겠다. 어쩌면 아무 생각을 하지 않는지도. 이것은 나의 폭식이 시작된 첫 순간인데, 이 장면에서 나의 의식은 음식을 움켜쥐고 입에 정신없이 쑤셔 넣는 손과 얼마 씹지도 않은 채 미친 듯이 삼켜대는 입, 밑 빠진 독처럼 쾌락을 좇는 육체를 무기력하게 목격하고 있다. 그러다 구역질을 하며 끝이 찾아온다. 실패했다는 절망감이, 30분 만에 게걸스럽게 먹어치운 이 엄청난 양의 음식을 최후의 한 조각까지 제거하기 위해—내 죄의 무게를 덜기 위해—일주일 내내 다이어트를 하겠다는 결심과 함께.

그날, 식료품점의 여자아이는 어둡고 억압할 수 없는

힘이 촉발한 악순환의 굴레에 자기가 빠져들었다는 걸 모르고 있다. 그건 아주 가혹한 금식 이후 다시 시작되는 폭식으로 이어지는 악순환인데, 너무 먹고 싶지만 먹어선 안 되는 음식을 입에 대는 순간 모든 결심은 날아가고, 그녀는 자포자기해서 밤까지 먹을 수 있는 걸 최대한 많이 먹어버리고, 다음 날엔 커피 말고는 아무것도 먹지 않는 금식을 또다시 시작한다.

그녀는 수치와 과잉이라는 방식으로만 채워질 수 있는, 끊임없고 억압된 욕망의 대상인 음식을 향한 열정, 그 가장 서글픈 열정에 자기가 사로잡히게 되리라는 것을 알지 못한다. 번갈아 찾아오는 순수와 오염의 주기에 진입했다는 것을. 시간이 흘러갈수록 이길 가망에서 멀어지는 싸움. 나는 언제 다시 정상이 될까, 언제 그렇게 되기를 멈출까?

나는 어느 날 라루스 사전에서 발견한 다음과 같은 단어 말고는 그 당시 내 행동을 명명할 이름이 있을 거라고 생각하지 못했다. 이식증: 병적인 섭식장애. 변태행위. 나는 내 행동이 병이라는 걸 몰랐고, 도덕의 문제라고 생각했다. H와 연관을 지었던 것 같지는 않다.

20년 후, 도서관에서 우연히 섭식에 대한 질병을 다

룬 책을 훑어보다가 나는 내가 발견한 것에 동요한 나머지 그 책을 빌려오게 된다. 그리고 과거의 몇 달간 내 인생의 배경을 이루었던 것에 ― 몸 밖으로 배출해야 하는 배설물과 지방, 흘러나오지 않는 피를 만들던, 차마 입에 담을 수 없던 그 쾌락, 그 추잡한 행위에 ― 어떤 대가를 치르고라도, 자기혐오와 죄책감을 느끼면서라도 살고자 하던 그 괴물 같고 절망스러운 형태에 이름을 붙일 수 있게 된다. 폭식증. 그 단어를 아는 것이 나에게 큰 도움이 되었을지, 내가 치료될 수 있었을지, ― 그런 상태에 있다는 걸 받아들일 수 있었을지 ― 치료가 될 수 있다면 어떻게 가능했을지를 이제 와서 말하기는 어렵다. 의사인들 꿈속에 사는 사람을 어떻게 치료할 수 있었겠는가?

1959년 겨울 저녁, 레퓌블리크 거리의 탈레 무용 수업에 있는 여자아이, 저녁식사를 거르게 됐다는 사실에 기뻐하지만, 같이 춤추는 사람들의 손과 너무 가까운 그들의 얼굴, 그들의 '돼지가 떨어지면 뭐게? 돈방석' 같은 식의 농담에는 혐오감을 느끼는 그 여자아이를 나는 보고 있다.

성당 근처에 있는 폴 식당에서 칼로리가 낮다고 여겨지던 비앙독스를 R과 함께 마시는 여자아이를 나는 보고 있다. R은 그녀가 대화를 나누는 유일한 반 친구로, 익살스럽고, 푸른 눈에 둥근 얼굴이며 키는 그녀의 어깨 정도에 닿는다.

어느 날 늦은 오후, 거의 저녁에 가까워졌을 때, 누벨 갤러리에서 멀지 않은 인도 위에서, 루앙 외곽의 데빌로 향하는 버스의 차창 너머 보이는 R의 푸른색 양모 모자가 천천히 멀어지는 걸 바라보는 여자아이를 나는 보고 있다. 그 순간 그녀가 외풍이 불어대고, 신발 벗는 소리, 이를 닦고 기침을 하거나 코를 고는 사람들의 소리가 들리는 공동침실로 돌아가지 않아도 되는 R을 부러워하고 있다는 걸 나는 안다. 그녀는 이불 위를 가로지르듯 경계선을 그리며 칸막이방을 밝은 부분과 어두운 부분으로 나누는 복도 야등의 노르스름한 불빛 아래 잠들지 못한 채 깨어 있지 않아도 되는 R을, R이 부모의 집으로 돌아간다는 사실을 부러워하고 있다.

12월에 그녀는 마리클로드에게 편지를 쓴다. '내년에 법학대학이나 기초교양과정에 진학하고 싶어. 어머니가 대학 기숙사에서 방을 얻을 수 있을지도 모른다고 얼핏 말했는데, 수녀들이 운영하는 기숙사보다는 마음에 들

것 같아. 근데 말이야, 어쩌면 내가 야망을 너무 크게 갖고 있어서 다 실패할지도 몰라. 그래서 이런 내 계획들이 조금 허황되게 느껴질 때도 있어. 나는 나중에 가서 충분히 공부하지 않았다고 후회하지는 않을까 걱정이 된다.' 그렇지만 그녀는 이듬해 2월, 합격하면 대학입학 자격 시험을 치른 후 1년 만에 직업 교육을 받게끔 보장해주는 루앙 사범학교에 원서를 쓴다.

내 눈앞에는 아니 뒤센느의 1958-1959년 철학II반 성적표가 있다. 그 시절의 성적표는 그녀가 영어를 제외한 모든 과목에서 좋은 성적을 지속적으로 받았음을 증명한다. 그녀는 철학 계열의 스물다섯 명 중 5등으로 학업을 마친다. 우등생 명부에 계속 올랐지만, 성적표에는 격려나 축하의 말 같은 건 적혀 있지 않다. 성적표의 모든 평가는 그녀가 '똑똑하고 진지한 학생'이었음을 환기시킨다. 특색도 두드러짐도 없는 무미건조한 그런 묘사는 수업에서 절대 아무런 말도 하지 않는 여자아이에 대해 내가 갖고 있는 기억과 일치한다. 과거에나 오늘날에나 이런 성적을 받은 학생에게 계속 학업을 이어나갈 자격이 있다는 건 의심할 여지가 없다. 그렇기 때문에 내가 앞서 품었던 야망을 포기하게 된 이유를 S에서 선망했던 사범학교 학생들 무리에 속하고픈, 금발의 여자 교사와 닮고픈 욕망으로만 설명하는 건 충분하지 않게 느껴진다.

고등학교에서의 이 몇 달은 내게 아니 D가 학업에 대한 야망을 천천히 잃어가는 시기처럼 보인다. 그렇게 된 건 같은 반 친구들은 틀림없이 짐작도 못 했을—그녀는 그렇게 생각했다—자신의 사회적 위치를 그녀가 반항 없이 내면화한 까닭이다. 반 친구들이 이브토에 있는 부모님의 식료품 겸 카페를 찾아낼 가능성은 없었지만, 그 아이들은 그녀의 사회적 지위가 다른 아이들과 같지 않다는 걸 암시하는 징후들을 틀림없이 발견했을 터였다. 고등학교에서 선생님들에게 감히 질문을 던지던, 수줍음을 모르는 '수재'들에 둘러싸여 있는 사이, 과거에 지녔던, 기적에 필적하는 예외적인 지위는 힘과 가치를 모두 잃는다. 학교의 영웅은 더는 존재하지 않는다. 그녀는 다른 여자아이들의 확신에 찬 모습에 당황하는데, 그 아이들은 대입시험 점수에 무심한 듯 굴면서, 마치 자리가 마련되어 있기라도 한 것처럼 가벼운 말투로 고등사범학교 수험준비반이나 약대에 갈 거라거나 동양어대학, 파리정치대학에 진학할 거라고 말한다. 오랜 시간 동안 학업을 이어가는 일이 이제 그녀에게는 부모님에게 경제적으로 큰 비용을 치르게 하고 자기 자신을 부모님에게 종속시키는, 지치고 돈도 벌지 못하며 슬프기만 한 끝없는 터널처럼 여겨진다. 고등교육은 이제 그녀가 꿈꿔왔던 행복을 보장해주지 않는다. 마치 어린 시절 내내 들어왔던 말들이 그녀를 이겨버린 것처럼. 공부는 '골치 아프다'거나, '일주일에 한 번 학교를 갈까 말까 했던' ─ 그들의 말이다 ─ 식구들 틈에서 '재능이 뛰어난' 건 괴상망측하다는 말들. 이제, 그녀는 사회와 1959년의 국가 교육이 농부나 노동자, 요식업자 자녀들 중 뛰어난 아이들을 위해 마련한 미래의 길을 택하고 싶어 한다. 여자아이는 더 이상 공부를 '계속하지' 않고, 사범학교에 진학하고 싶다는 말을 듣고는 기뻐 어쩔 줄 모르던 ─ 어머니는 실망해 있다 ─ 아버지('초등'사범학교라고 구체적으로 말할 필요는 없다. 그녀도 아버지도 당시엔 '고등사범학교'의 존재를 알지 못한다. 하지만 오늘날에도, 교사들과 상류층을 제외하면 누가 그것의 존재를 안단 말인가?)의 쪽으로 다시 추락한다.

나는 당시 그녀에게 이런 마음도 있지 않았을까 짐작한다. 여성으로서 ─ 억압되고, 부정되었을망정 ─ 성경험을 갖고 나서, 대체 누가 초등학생처럼 책상 의자에 앉아 책을 파고 싶겠는가?

그 순간, 그녀가 지닌 미래에 대한 장밋빛 전망 속, 그녀는 책 더미에 둘러싸인 시골 학교에 있고, 그녀의 관사 앞에는 시트로앵2CV나 르노4CV 승용차가 세워져 있다. 그녀는 학생들에게 프랑시스 잠의 '호랑가시나무 울타리를 끼고 걸어가는/ 그토록 유순한 나귀가 나는 좋아'나 빅토르 위고의 「공기의 정령들」 같은 시를 가르쳐줄 것이다. 교사라는 직업을 상상할 때 아이들은 일주일도 채 돌볼 필요가 없던 S의 '여름의 아이들'처럼, 즐겁고 모호한 형태를 띠고 있다.

인류의 진화 과정 속에 늦게 출현한 언어가 이미지만큼 쉽게 각인되지 않기라도 하는 것처럼, 부활절 방학 중 오토쉬르센의 성에서 지도강사 연수를 받았던 기간에 나눴던 수많은 말들 중 남은 것은 곰보에 뿌연 안경을 쓴 남자 교사가 함께 설거지를 하고 있던 부엌에서 히죽거리며 내뱉은 한마디뿐이다. '넌 한물간 창녀 같아.' 나는 그가 그런 말을 한 것이 내 밝은 피부에 과하게 바른 파운데이션과 볼 화장 때문일 거라 곧바로 생각했고, 나는 창녀 같은 년이 예상치 못한 순간 다시 나타났다는 사실이 뜻밖이고 놀라워, '그러는 너는 늙은 뚜쟁이 같아'라고밖에는 달리 응수하지 못했다. 냉정하고 품위 있어 보일 거라고 내가 믿고 있던 연수 과정의 여자아이에게서 방학 캠프 여자아이의 모습이 엿보이기라도 했던 걸까?

연수가 끝날 무렵, 내 테이블의 남자아이가 추근대는 것에 지쳐 같이 영화를 보러 갔을 때 B급 괴물 영화가 상영되던 거의 텅 빈 영화관에서 입을 맞추고 가슴을 만지는 걸 그에게 허락하며 나는 그녀가 다시 나타나려는 건 아닐까 두려워했을 것이다. 나의 의지와 상관없이 모든 게 내 안에서 일어난다. 나를 기숙사 문 앞까지 바래다주지만 결코 다시 만나지 않을 거라고 내가 이미 확신하고 있던, 길고 홀쭉한 남자아이의 입술과 손길이 일으킨 욕망의 힘에 나의 의식은 겁을 먹는다. 2000년에, 나는 내 편집자로부터 그의 편지를 받았는데, 그는 오토쉬르센의 '아름답고 젊었던 여자아이'—이런 정의가 나를 놀라게 했다—를 한 번도 잊은 적 없다고 썼다. 그는 결혼했고 자녀가 있으며 루앙에서 차고를 운영했다. 그가 어떻게 연수 과정의 아니 뒤셴느가 『사건』을 막 집필한 여자와 동일인이라는 걸 알아봤는지는 기억나지 않는다.

4월의 어느 정오, 구내식당에서 내 접시 옆에 놓인 편지—S 요양원의 레터링이 찍힌 편지로, 다음 여름 캠프 신청에 대한 답을 담고 있었다—를 보았을 때, 나는 아마도 거절의 말을 예상했을 것이다. 정확히 어떤 말이 적혀 있었는지는 잊어버렸지만 편지는 난폭하게 나의 확신을 재확인시켜주었다. 방학 캠프는 아니 뒤셴느를 원하지 않는다. 내 생각에 그때 나를 가장 괴롭혔던 건, H를 다시 보지 못한다는 고통이나 내 꿈이 완전히 끝나버렸다는 생각보다는, 이 거절—일반적인 경우는 아니었는데, 왜냐하면 여러 지도강사들이 두세 해 연속으로 참여했기 때문이다—에 의해 명명백백히 드러났듯 과거의 내가 너무나도 부적격한 사람이라는 사실이었다. 그 누구도 더 이상, 어떤 수를 써도, 얼마큼 수준 높은 사람이 되었다 해도 그 여자아이 이야기를 듣고 싶어하지 않는다. 과거의 여자아이. 그렇지만 S의 사람들은 새로운 여자아이를 알지 못했다. 수치심은 지워지지 않은 채, 방학 캠프의 담벼락 안에 갇혔다.

하나의 기억을 기준으로 또 다른 기억이 언제 일어났는지 정확히 말할 수 없기 때문에 두 기억 사이의 인과 관계를 따지기는 어렵다. 그러니까 나는 내가 이 편지를 시몬 드 보부아르의 『제2의 성』을 읽기 전에 받았는지, 읽은 후에 받았는지 잘 모르겠다. 내가 졸라서 마리클로드가 『제2의 성』을 빌려준 건 3월 말이고, 나는 편지를 받았던 1959년 4월에 그 책을 읽었다.

고등학교를 향해 걸어 내려가는 에른몽의 여자아이를 몇 년이 흐른 후 머릿속으로 다시 그려볼 때 떠올리게 될 계시라는 단어는 일단 사용하지 않겠다. 완전히 넋이 나간 채, 며칠 전까지만 해도 여전히 갖고 있던 겉모습을 잃은 세계에 새롭게 눈뜬 여자아이를 내가 다시 그려볼 때. 그 세계에선 이제르 대로를 달리는 자동차들부터 고등경영학교를 향해 올라가고 있는 넥타이 맨 학생들에 이르기까지, 모든 것이 이제는 남자의 권력과 여자의 소외를 의미했다. 그보다는 지난여름의 기억을 지닌 여자아이가, 여자인 이상 그녀와 무관할 수 없는 남녀 관계에 대한 해석, 완벽한 증명으로 이루어진 수많은 페이지들을 맞닥뜨린 후 어떤 마음이 되었을지를 짐작해볼 것. 그전까지 한 번도 존재한 적이 없었기 때문에 그녀가 피할 수도 없고 피하고 싶지도 않은 대화에 참여하도록 이끄는 어떤 여자, 이름만 알 뿐이었던 어떤 여자 철학자에 의해 쓰인 페이지들.

추측하건대, 그녀는:

여자들의 상황에 대한 묘사, 선사시대부터 지금까지 집요한 방식으로 전개되어온 불행의 서사시를 읽고 질겁했을 것이다

남자들이 손쉽게 초월을 추구하는 반면 여자들은 종에 귀속되고 내재성에 짓눌려 있다는 종말론적인 시각에 압도됐을 것이다

아홉 살에 『바람과 함께 사라지다』에서 멜라니의 출산 장면을 읽은 이래 갖고 있던 출산에 대한 공포와 모성에 대한 혐오를 공고히 하게 됐을 것이다

여자들을 둘러싼 수많은 신화들이 존재한다는 사실에 놀라고, 어쩌면 남자들에 관련해 자신이 갖고 있는 신화가 보잘것없어 굴욕을 느끼지만, 아무튼 간에 방학 캠프에서 자신에게 '너는 남자를 잡아먹는 요부야'라고 말했던 기억을 떠올리며 분개했을 것이다

그 당시 자신이 수치를 느끼는 건 생리를 하지 않고, 속옷이 깨끗하다는 사실 때문인데, 작가가 생리 ― '더러워진 자국' ― 에 대해 수치와 반감을 거듭해 표현하고 있다는 사실에 놀랐을 것이다.

시몬 드 보부아르가 처녀성을 잃는 장면에 대해 그린 극적인 묘사를 읽고 나서 H와의 첫날밤 사이의 닮은 점을 발견하는지는 모르겠다. 그녀가 '첫 번째 삽입은 언제나 강간이다'라는 문장에 동의하는지도. 지금도 내가

H에 대해서 말할 때 강간이라는 단어를 사용하는 것이 불가능한 것을 보면 그렇지 않았던 것 같다. 그런데 한 남자에게 광적으로 사랑에 빠지고, 열어주지 않는 문 뒤에서 그를 기다리고, '미친년'이나 '창녀 같은 년' 취급을 받았던 것으로 인한 수치심은 어떻게 됐나? 『제2의 성』은 그것을 씻겨주었나, 아니면 반대로 그 감정에 더 빠지게 만들었나? 나는 둘 중 어느 것도 선택할 수 없다. 수치심을 이해할 수 있는 열쇠를 받았다는 사실이 그것을 지울 수 있는 힘을 주는 것은 아니니까.

어쨌든 1959년 4월에, 중요한 것은 미래다. 그리고 철학 공부를 하는 학생으로서 시몬 드 보부아르가 마지막 페이지에서 언급한 선택에 관한 명령을 자신의 것으로 만들었다는 확신. '나는 [여자]가 초월성을 주장하는 것과 사물로 소외되는 것 사이에서 선택을 해야만 한다고 생각한다' 그녀는 그 당시 여자아이들에게 많든 적든 중요한 문제였던 질문에 대한 답을 얻게 된 것이다. 어떻게 행동해야 하는가? 자유로운 주체로서.

기숙사 칸막이방에서 사진을 찍은 후 에른몽을 떠난 여자아이는 수영할 줄도 모르고 춤출 줄도 모르고—수업은 금세 때려치웠다—운전면허 시험에서 막 떨어진 상태지만, 계획했던 일들을 실패했다는 사실이 그녀에겐 그다지 중요해 보이지 않는다. 그녀는 좋은 성적으로 대입자격시험을 통과했고, 나는 그녀가 아이들을 교육한다는, 실존주의 원칙과 여름방학 캠프의 이상이 교차하는 이타적인 계획 속에서 '자신을 실현하기'로 여느 때보다 더 확고히 결심했다는 걸 안다. 그러니까, 자신이 온전히 자유롭게 했다고 믿는 선택을 밀고 나가기로.

새로운 여름, 드골 장군이 처음으로 9월로 정한 개학이 시작되고도 계속 뜨겁고 건조했던 그 1959년의 여름에 진입하려는 이 순간, 매음굴인 S와 달리 — 그녀는 이제 그렇게 생각한다 — 엄격하고 단정한 여자들이 주로 운영하던 캠프에서 방학 동안 일하는 내내 (하나는 소규모 캠프였고, 다른 하나는 일반 규모였다) 아니 D가 아니라 토템식 이름인 칼라낙으로, 그다음엔 칼리로 불렸던 여자아이를 떠올려볼 필요가 있다. H의 눈앞에 나타나기 위해 예전부터 준비한 모습 그대로, 이제는 다른 사람들 앞에 등장하게 된 그 여자아이를 살펴볼 필요가.

캉 근처의 클랑샹쉬르오른 방학 캠프의 책임자인 카트린 R에게는 '요부'였다. 카트린 R은 이유도 없이 나에게 곧바로 반감을 가졌는데, 어느 날엔 내가 계단 위에서 듣고 있을 때 부엌에서 다른 여자 지도강사에게 — 여자 지도강사는 우리 둘뿐이었고 남자 지도강사가 한 명

있었다—나에 대한 험담을 하기도 했다. 험담의 내용은 이제 한마디도 기억나지 않지만 그 자리에서 죽고 싶었던 기억은 내게 남아 있다.

루앙 근처의 이마르 방학 캠프의 책임자인 랑스에게는 '특이한' 여자아이였다. 그는 내 생일에 다 알고 있다는 듯한 웃음을 지으면서 쥘 로맹의 『특이한 여자』라는 책을 선물했다. 그리고 나는 곧 그가 아내인 푸르미에게 또다시 웃으며 '내가 방학 캠프를 운영한 이래, 칼리 같은 여자 지도강사는 본 적이 없어!'라고 말하는 것을 들었다.

그녀는 그런 사람이라기보다는 1959년 7월 29일자(비종교적 노동 연맹, 위포발 캠프의 소인이 찍힌 노란 봉투에 담겨 있던) 편지를 썼던 여자아이가 아니었을까? '나는 캉에서 에바 바톡이 주연한 〈당신 없이는 밤일 거야〉를 봤어. 모르핀에 대한 집착은 아찔할 정도라 그런 일이 우리에게 불시에 닥칠지 모른다는 생각이 들기까지 해. 근데 그런 생각을 한다는 게 충격적이지조차 않아.'

여자아이들을 데리고 길을 걸어야 하기 때문에 평소

엔 테니스화를 신고 청바지나 반바지를 입어야 했지만, 내가 보고 있는 여자아이는 보리수 꽃무늬가 커다랗게 그려진 짙은 초록색 원피스를 입고 있다. 그 원피스는 1959년 여름에 찍은 유일한 사진 속에서 입고 있는 것과 같은 옷이다. 거의 텅 비어 있는 해변 위에서 찍은 사진인데, 여러 겹으로 이루어진 꽃부리처럼 허리 부분부터 아주 드넓게 퍼지는 치맛자락에 파묻혀 앉아 있는 나는 자갈밭 위에 놓인, 축제에서 경품으로 받은 인형 같아 보인다. 그리고 나는 에람에서 산, 마찬가지로 연초록색인 하이힐을 신고 있는데 굽 때문에 그걸 신으면 키가 180센티미터에 가까워지고, 길에서 마주치는 남자아이들마다 '윗동네 공기는 좀 다르냐?'는 조롱 섞인 질문을 던진다. 그렇다, 좀 다르다. 키가 커서 시선이 웬만한 사람들의 정수리를 스치고, 어떤 이들의 경우엔 머리카락도 훤히 내려다볼 수 있으며 거리의 끝까지 시선이 가닿는 여자에게는. 남자애들은 키 큰 여자를 모욕하기는 하지만 작은 여자애들에게 하듯 엉덩이에 손을 갖다 댈 엄두를 내지 못한다. 귀를 덮는 탈색 금발을 목덜미 부근에 밀렌 드몽조 스타일로 말아올린 채, 풍성한 치마를 입고 있는 그녀는 나무랄 데 없이 뚜렷한 여성성을 드러내고 있다. H와 있었던 일과 『제2의 성』에서 배운 것들을 모두 자신의 몸과 행동으로 실현하면서.

칼라낙 혹은 칼리, 그녀는 요부도 특이한 여자도 되고 싶지 않다. 그녀는 연수 과정이 규정하는 훌륭한 지도강사의 모범에 자신이 부합하기를, 다른 사람들과 비슷하기를, '건전하고, 솔직한 동료애'의 분위기에 기여할 수 있기를 소망한다. 하지만 만약 다른 이들과 달라 보이고 싶은 욕망이 있었던 게 아니라면, 다른 여자 지도강사들이 통상적인 규칙에 따라 재스민이나 데이지 같은 꽃 이름을 택할 때 그녀는 왜 악마 같은 여신인 칼리의 이름을 별명으로 지었을까? 그녀가 얼마나 자기 자신을 속이고 있었는지는 가늠하기가 어렵다. 그녀는 잘 속이고 있다고 생각했을까? 자신의 타락을, 식탁에서는 거절하지만 다른 사람들의 접시를 탐욕스럽게 훔쳐보고, 자기들이 먹기 싫은 버터 바른 빵이나 젤리 같은 걸 그녀에게 넘기며 기뻐하는 아이들과 잔디밭에 있는 간식시간이 되어서야 마침내 먹어치우는 음식에 대한 집착을 감추고 있다고. 수고스럽게 준비하는 게임들에 흥미를 가져보려고 자신이 얼마나 노력하는지, 학부모들과 루앙 항구의 항만 노동자들을 초대한 축제를 위해 열두 명의 여자아이들과 〈호두까기 인형〉 음악에 맞춰 발레 공연을 준비하는 일이 얼마나 고통스러운지를—달아나고 싶을 정도이지만 어디로 달아난단 말인가?—조금도 드러내지 않고 있다고. (항만 노동자들은 공연을 위해 수 킬로그램에 달하는 바나나를 제공해주었고, 그녀는 그것들을 먹어치운다.) 자신이 있는 곳에서 자기 행동이 끊임없이 부자연스럽다고 느끼는 감각을 잘 억누르고 있다고.

내게 자격 없는 어머니라는 말이 무슨 뜻이냐고 느닷없이 묻던 키 작고 귀여운 곱슬머리 비올레트. 늘 신경이 예민하고, 만사에 다 불만이며 숙소에서 굿나잇 키스를 할 때 거칠게 나를 끌어안던 클로데트, 다른 애들을 모두 멍청이 취급하고 그것 때문에 야단맞으면 잇몸과 치아가 훤히 보일 정도로 웃어대던 마리즈, 『어린 왕자』를 읽던 갈색 단발머리의 얌전한 아이 등등. 이마르에서 담당했던 열 살에서 열두 살 남짓의 여자아이들의 얼굴을 구체적으로 떠올리면서 내가 자각하는 건, 내가 그들에 대해 아무것도 느끼지 못한다는 것이다. 마치 다른 존재들을 거리를 두고 보게끔 내 마음이 얼어붙어 있기라도 했던 것처럼.

1959년 여름의 이 칼리-칼라낙에게는 감정이 없다. 그녀는 아이들의 애정 표현을 동물적인 무엇, 그리고 평등의 원칙을 위배하는 무엇인 양 물리친다. 그녀는 쉬는 날 성당을 방문하기 위해 홀로 숲을 가로지르고 히치하이킹을 할 정도로 위험에 무관심하다. 안경을 쓰지 않은 탓에 앞이 잘 보이지 않아 살무사에 물릴 뻔하기도 했다. 살무사는 테니스화에서 겨우 1밀리미터 남짓 떨어진 곳에 있었다. 그녀는 다음과 같이 편지를 썼다. '나는 내가 물렸는지 아닌지도 더 이상 모르겠어. 아이들은 캠프장으로 얼른 돌아가자고 했는데 내가 망설였어. 사실, 죽을 뻔했다는 걸 아는 게 나한테 그렇게 큰 영향을 미치지 않았던 거야.'

그녀에겐 더 이상 생각할 대상이 없고, 그녀는 신비로움과 흥취가 사라진 세계에 놓여 있다. 현실 세계는 고통스럽고 불균형한 감정의 형태가 아닌 다른 식으로는 더 이상 그녀의 내면에 아무런 반향도 일으키지 못한다. 그녀는 여전히 열어보지도 못한 어머니의 편지를 잃어버렸다는 생각만으로도 눈물이 그렁그렁해진다.

방학 캠프에서 만난 열네 살 여자아이들에 대해 쓴 편지에서 엿볼 수 있듯 마음 깊은 곳에서 그녀는 청소년으로 남기를 소망하고 있다.

'나는 걔네가 진심으로 부러워. 그 애들은 인생의 가장 좋은 시절을 살고 있다는 걸 몰라. 사람이 어떤 순간 자기가 가장 행복한지 알지 못한다는 건 참 바보 같은 일이야.'

존재의 연속성을 확보하기 위해 자기서사가 추구하는, 지배적인 진실을 드러내는 과정에는 언제나 이런 점들이 빠져 있다. 경험하는 순간 경험한 것에 대한 우리의 몰이해. 모든 문장, 모든 단언에 구멍을 뚫어야만 하는 현재의 불투명함. 자신을 칼리라고 부르는 아이들과 함께 '방-학-캐애앰프-꼬오옻이 핀 지이이입'이라고 노래 부르며 길이 험한 시골 도로를 행군하는 여자아이는 '무엇이 문제인지' 알지 못하고 그것을 명명할 수도 없다. 그녀는 그저 먹을 뿐이다.

어느 날 오후, 공동침실에 혼자 있을 때, 그녀는 어린 여자애의 사물함에서 군것질거리를 훔쳤다. 피해를 입은 아이는 같은 조의 다른 아이들을 이르지 않았다. 지도강사인 칼리는 자연스럽게 모든 의혹에서 비껴나 있다. 다른 사람, 억압할 수 없는 충동에 복종해버린 다른 어떤 여자아이가 이런 행동을 저지른 것만 같이 느껴지는 이 장면. 그렇지만 오늘날에도 침대 위에 있는 목제 사물함이 어떻게 생겼는지 여전히 알고 있으며 공동침실의 고요함을 기억하고 있는 건 나다. 이 장면 속 이미지를 둘러싸고 있는 생각들은 모두 사라진다. 나는 내가 얼마나 많은 양의 사탕을 훔쳤는지 알지 못한다. 그저 그 자리에서 모두 먹어치웠다는 것만 알 뿐.

9월 초 그녀는 루앙의 사범학교에 입학하기 위해 시험을 치른다. 우정을 주제로 했던 구술시험을 잘 치렀다고 생각했지만 드로잉 시험과 조력 발전소에 대한 필기시험 때문에 떨어질 거라고 확신했다. 그녀는 스무 명만 합격하는 시험에서 예순 명의 학생 중 2등으로 합격했다는 사실이 믿기지 않는다. 그 등수를 자신의 운명을 의심할 필요 없다고 알려주는 어떤 징후처럼 받아들인다.

9월 어느 오후의 이미지. 그녀는 스트라우스의 〈왈츠〉 음반을 틀어놓은 채 이브토의 자기 방 침대 위, 거울을 올려놓은 옷장 겸 서랍장을 바라보며 앉아 있다. 부모님의 친구들이 선물해주신 음반인데, 나는 〈왈츠〉를 가벼운 소곡이라고 생각하는 편이지만, 그 곡은 그 순간 나란 존재가 거둔 승리와 썩 잘 어울린다. 나는 빈의 음악과, 마치 내가 기다리는 세계와 미래를 보여주고 있기라도 한 듯한 거울에 비친 내 모습으로 인해 더욱더 고양

되는 기쁨을 격렬히 만끽하며 순수한 성공의 순간을 누리고 있다. 내가 눈이 멀어버린 순간이자, 절대적인 오류로 남는 순간, 잘못된 길로 막 진입하는 순간이다.

일요일 저녁, 자신의 이니셜이 새겨진 필수품들을 정리한 뒤, 위아래가 뚫린 칸막이방의 분홍색 가림벽 사이—푹신한 인형 상자 같다—너무 짧게 느껴지는 침대 위에 누워 잠들기 전 그녀는 생각하고 있을까? 방학캠프에 있던 시절 그토록 갈 수 있길 소망했던 그 장소에 와 있다고, 금발의 여자 교사가 그랬듯, 자신도 이제 교육실습생이 됐다고?

내가 사범학교에 대해 가지고 있는 기억들은 파편적이지만—현관, 공동침실, 구내식당, 체육관 등등의 일상적으로 사용하던 장소들—인터넷 사이트는 내 기억을 보완할 수 있게끔 사범학교 전체의 건축 형태를 개관할 수 있는 인상적인 전망을 제공해준다. 1886년 건축된 학교는 1만 9천 제곱미터에 달하는 지대에 걸쳐 있고, 생카트린 해안에 이르는 루앙을 내려다보고 있다. 학교에는 몇 개의 정원과, 장미꽃밭, 운동장, 대강당, 음악실과 무용실이 있었다. 뜰의 삼면을 둘러싸고 있는 중앙 건물의 웅장한 외관은 유리 차양이 감싸고 있다. 건

부병균의 공격을 받아 황폐해진 학교는 1990년에 문을 닫았고, 루앙 시가 속해 있는 지방 정부는 학교를 마트뮈트사에 2014년 400만 유로를 받고 팔았으며 마트뮈트는 그 건물로 4성급 호텔, 컨벤션 센터, 공원 등이 어우러진 복합단지를 만들 예정이다. 한 사진 속에는 벽으로 막힌 1층의 유리창들, 그 위층의 깨진 유리창들도 보이며, 풀들이 정신 사납게 자라나 있다.

그 모습을 보며 나는 조금도 슬프지 않다.

그 건물이 나에게, 1960년 2월 어느 화창한 토요일 오후 짐을 들고 샹데주아조 거리를 따라 기차역까지 걸어가며 내가 떠난다는 사실에 더없이 행복해할 황금빛 감옥, 치명적인 보호막으로 변해버리기 전까지, 그 장소가 지닌 웅장함, 시설들의 풍족함, 간단히 말해 방학 캠프를 떠올리게 하지만 여러모로 더 나은 스케일의 학교 구조가 지닌 완벽함을 보며 교사실습생인 아니 뒤셴느가 기뻐했으리라는 건 쉽게 상상할 수 있다. 그녀가 부모님에게 — 무엇보다 모든 것이 풍족한 장소에서 딸이 잘 보호받고 있다는 걸 알면 더 기뻐할 아버지에게 — 학교에서 제공되는 다채롭고 풍족한 식사, 매일 아침 10시에 제공되는 작은 버터, 공동침실의 중앙난방, BCG 예방접종부터 구두 밑창 갈기에 이르는 무상의 토털케

어와 학업을 마칠 때 타는 '저축금'까지, 이 모든 혜택에 대해서 상세히 보고했을 거라는 데에는 의심할 여지가 없다. (이 감미롭고 잘 계획된 자급자족의 기억이 있어 나는 소비에트 체제의 속성을, 훗날 러시아인들이 갖게 된 그 체제에 대한 노스탤지어를 이해했다.)

어쩌면 처음 기숙사 생활을 하게 되었던 열아홉 살 때, 초반에는 그녀도 전적으로 여성으로만 이루어진 이 세계가 지닌—역사 선생님과 두꺼비 같은 얼굴에 재주가 많았던 니콜라를 제외하면—엄격하게 감시되는 폐쇄성에 적응하기까지 했을 것이다. 매일 아침 씻고 있는 이웃 방 여자아이의 맨발을 가림벽 아래로 보며 아침부터 밤까지, 한없이 계속, 여자들끼리만 있다는 사실에 대한 혐오감이 뒤섞인 지루함과 슬픔이 응축된 듯한 느낌을 받기 전까지는. 아니면 그녀가 화장실 쓰레기통 뚜껑을 열어 모르는 여자들이 버린 붉은 생리대를 구역질을 느끼며 홀린 듯 바라보게 되기 전까지는.—그녀는 1년이 넘도록 생리를 하지 않고 있었다.

R도 입학시험을 봤고, 합격했지만 루앙이나 루앙 근교에 사는 다른 일부 학생들처럼 집에서 학교를 다녀도 되었다. 나는 R과 재회하며 낯선 환경 속에서 잘 아

는 동창생이 있다는 사실이 주는 안도감과 달콤함이 뒤섞인 감정을 느꼈다. 예전에 다녔던 학교에 대한 공통의 기억은 우리를 처음부터 새로운 학교와 그곳에서 만난 친구들의 흉을 보는 공모자로 만들었다.

마리클로드에게 9월 21일 월요일에 보낸 편지에는 흥분해서 쓴 다음과 같은 구절에 이어서—'여자애들 전체가 〈히로시마 내 사랑〉을 보러 갔는데, 다 같이 '너는 히로시마에서 아무것도 보지 못했어'라는 대사를 계속해서 따라했단다'—학교에 대한 흥분이 벌써 사라졌다는, 혹은 환멸이 시작되었다는 언급이 등장한다. '그냥저냥 견딜 만해. 수업은 다양해, 심리학, 교육학, 회화, 가창, 가사실습, 그리고 분위기는 좋아. 그렇게 고되지는 않은 것 같아. 다행이지, 뭐.'

뛰어난 성적으로 입학한 아니 D는 교육학 관련 수업 중 어떤 것에서도 두각을 나타내지 못한다. (학점이 부여되지 않는) 20세기 문학과 현대사 수업, 그리고 무엇보다 요리 수업을 제외하면 어떤 것에도 흥미나 관심을 갖지 않는다. 요리 수업은 모든 도구가 훌륭하게 갖춰진 특별한 주방에서 식사 코스 전체를 준비하도록 구성되어 있었는데, 그녀는 주방 찬장에 비품으로 마련된 건

포도나 설탕에 절인 과일을 슬그머니 훔쳐 먹는다. 다른 교사실습생들처럼 그녀도 뜨개질을 시작하고 카디건을 만들기 위해 커다란 바늘과 모헤어 하늘색 울 털실을 — 당시 유행이었다 — 구입하지만, 코가 비뚤빼뚤하게 겨우 10센티미터 가량을 뜨고는 결국 포기하고 만다.

음식에 대한 강박 때문에 괴로워하며 R과 미셸 L 사이의 세 번째 줄에 삐딱하게 앉아 있는 — 혹은 트레이닝복과 운동화 차림으로 오직 하나의 욕망만, 얼른 끝났으면 하는 욕망만 가진 채 근처 '실습학교'의 아이들에게 처음으로 체육 수업을 가르치며 체육관에 있는 — 그 여자아이의 심리 상태, 인생관, 인생을 어떻게 포착할 수 있을까? 그녀가 미래를 잘못 선택했다고 스스로 인정하는 것이 아직 불가능한 이 시기에.

입 밖에 꺼낼 수 없는 무시무시한 생각을 억누르고 있다는 것, 자신이 초등교육에 부적합한 사람이라는 것, 마치 초등교사는 사회 전체의 도덕을 책임져야 한다는 듯 사범학교가 요구하는 교육자로서의 완벽함에 자신은 너무나 거리가 멀고, 그것에 아주 못 미치는 사람이라고 느끼고 있다는 것을 그녀가 인정하는 것이 불가능한 이 시기에. 어떻게 그녀의 절망을 헤아릴 수 있을까? 차라리 구내식당에서 카트를 밀며 각 테이블에 접시를 배분하던 부엌의 여자아이가 되고 싶었다는 이런 생생한 기억이 없었다면.

그 전해에 겪었던 고통과 욕망 중에서 남아 있는 것은 무엇인가? 에마뉘엘 리바와 일본인 남자의 뒤엉켜 있는 육체를 보며 숨이 멎었던 기억*. 마치 그녀 자신이, 여자 주인공, 그 복종하는 여자가 되기라도 했던 것처럼, 크리스티안느 로슈포르의 소설 『병사의 휴식』을 읽으며 느꼈던 난폭한 동요와 구역질.

벽이라는 여과장치 때문에, 바깥세상은 힘을 잃고 그녀에게 영향을 끼치지 못했다. 알제리에서 있었던 사건들이나—그렇지만 철학 공부를 시작한 이후 그녀는 알제리에 관심을 갖게 되었고 그때부터 알제리의 독립을 열렬히 지지하고 있었다—제라르 필리프나 카뮈의 죽음도 그녀의 마음을 움직이지 않는다. 자신들의 목소리를 자랑스러워하며 공동침실 여자아이들이 부르는 에디트 피아프의 〈밀로르〉나, 자크 브렐의 〈천 박자의 왈츠〉, 앙드레 부르빌의 〈과일 샐러드〉 같은 노래들은 그녀를 짜증 나게 한다.

---

* 앞서 언급된 영화 〈히로시마 내 사랑〉에 대한 이야기다.

내가 정한 시공간적 배경—루앙 사범학교에서의 다섯 달—속으로 동급생들의 실루엣이 미끄러져 들어온다. 그녀들의 숫자는 마치 내가 일부러 정해놓은 그 경계로 인해 수십 년 동안 봉해져 있던 기억 창고에서 대량 재고 세일이 시작되기라도 하는 것처럼 언제나 점점 더 많아진다. 그녀들의 얼굴과 이름이 되돌아온다. 그 시절 나는 아마도 그녀들을 보며 이 애들은 왜 여기 있는 걸까, 여기 있는 것이, 초등교사가 되는 것이 정말로 행복한 걸까 자문했을 것이다.

직업교육 과정의 다른 여자아이들은 나를 어떤 식으로 보고 있었을까? 그녀들이 안다는 걸 몰랐던 나의 무엇을 알고 있었을까? 라보팔리에르라는 작은 마을 출신의 아네트 C, 그라방숑의 미셸 L, 루앙의 마뉴프랑스 상점 옆에 있던 아르장 거리의 아니 F 같은 여자아이들은? 다른 사람들의 진실이—그 진실이라는 건 그들이 모르고 있고, 언젠가 알게 된다면 깜짝 놀라게 될 것과 비교하면 (그랬을 줄 진짜 생각지도 못했네 등등) 아무것도 아닌데—지금 글을 쓰는 내게 왜 중요한가? 단순하게, 그것이 중요한 이유는 그 당시, 그러니까 우리가 함께 있고, 우리가 하나의 집단, 내 것이라고는 도무지 생각되지 않았던 — 그녀들도 그렇게 의심하고 있었을까? — 미래의 초등교사들이라는 한 팀을 형성하고 있었을 때, 그 진실이 내가 세계와 맺고 있던 관계의 토대를 이루고 있었기 때문이다.

'아무튼, 내가 결정하긴 했지만 내가 진짜 선택했다고 말하는 건 또 다른 일이야. 그보다는 우리가 여러 사건들에 휩쓸려 선택하게 된 거라고 생각하진 않니?' 1959년 1월의 편지.

지난해 글을 쓰기 시작했을 때, 나는 사범학교 시절에 대해서 이렇게나 길게 쓰게 될 거라고는 전혀 생각하지 못했다. 어떤 분야에 종사하기로 약속을 하고, — 10년이란 세월에 서명을 했었다 — 그것이 자신에게 맞지 않는 직업이어서 그 안에서 길을 잃어버리는 여자아이에게 다시 숨을 불어넣고, 종국에는 문학에서 흔히 다뤄지지 않는 이 문제에 대해 자세히 이야기할 필요성이 내게 있었다는 걸 깨닫는다. 인생을 이제 막 시작하는 단계의 우리 모두는 먹고살기 위해서는 무엇인가를 해야 한다는 의무와, 선택을 해야만 하는 순간을, 그리고 결국에 가서는 있어야 할 그곳에 자신이 있다는 혹은 있지 않다는 느낌을 어떻게 감당해나가는 걸까?

겨울이다. 마리우드마르 초등학교에서 빠져나온 교생 실습생은 죽어버렸으면 좋겠다고 생각하고 있다. 아니면 그와 다를 바 없지만, 나이 든 실습 담당 선생님이 다른 교생실습생들 앞에서 단호하게, 금세 눈물이 차오르는 눈을 새카만 눈으로 뚫어져라 보며 한 당신은 소명 의식이 없어요, 교사가 되기에 적합하지 않군요라는 말을 들어야 했던 그 여자아이가 아닐 수 있기를. 그 여자가 사범학교 학생들 사이에서 고약한 사람이라 악명이 높고, 모두들 그 사람 밑에서 실습하기를 꺼린다는 사실도 듣는 즉시 진실이라고 느꼈던 것이 불러일으킨 공포심을 누그러뜨리지는 못했다. 나의 의지, 읽기와 쓰기 수업을 준비하고, 눈 덮인 산장과 순록 그림을 그려가며 크리스마스 이야기를 짓는 나의 노력과 상관없이 내비쳐지는 진실. 내가 선택한 이 진로에서 내가 형편없고 부족하다는, 이 진실 앞에서 무엇을 해야 하나.

그다음 나는, 마침내 초등학생들을 대면했다는 사실에 행복해하고 자유롭게 루앙 시내로 외출할 수 있다는 사실에 흥분해 있을 다른 동료들을 마주칠까 봐, 학교로 돌아가기 전 근처에 있던 생고다르 성당에 몸을 숨기는 여자아이를 보고 있다.

실습 기간의 막바지에 있던 참관 수업—장학관, 교장, 실습 담당 선생은 창가 쪽에 늘어선 의자 위에 줄지어 앉아 내가 읽기 수업에서 배울 새로운 단어들을 큼직하게 쓴 판지를 들고 있는 동안 수다를 떤다—도 나를 구해주지 못한다. 수업이 끝날 무렵 내 질문을 받은 우리 반에서 가장 뛰어난 학생은 기본적인 동사 두 개를 헷갈리고 '목동은 긴 외투를 갖고 있다'가 아니라 '목동은 긴 외투입니다'라고 말한다. 자기가 저지른 실수 때문에 곧 울 것 같은 표정을 짓는 그 아이의 낙담한 얼굴을 보며 나는 나의 무능력함을 고통스럽게 재확인한다.

눈과 눈 사이가 기이하게 멀고 잘 관리된 치아와 얇은 입술을 지닌 차가운 인상의 우아한 그 여자를 다시 떠올릴 때마다, 몇 년이나, 짓밟아버리고픈 충동을 느끼긴 했지만, 그것과 상관없이 그녀가—그 순간엔 잔혹하게 여겨졌던—그 판결로 나를 구해준 건 아니지만, 적어도 많은 시간을 낭비하지 않게 해줬음은 인정해야만 한다. 그녀는 본인의 의지와 상관없이, 내 인생의 흐름을 바꿔놓았다고 내가 여기고 있는 존재들—많은 경우 그들은 가장 사랑스러운 사람들은 아니다—중 하나다.

R, 그녀는 문법 수업을 망친 이후 공교롭게도 병이 나 루앙 근교 학교에서 받던 교생실습을 끝마칠 수 없었다. 1960년 1월 학기가 다시 시작되었을 때, 우리가 가까워진 건 둘 다 교사가 된다는 현실을 직면하다 역경을 겪게 되었기 때문이 아니었을까? 그리고 그렇기 때문에 우리의 생각과 충동이 뒤섞이고 둘 사이에 배타적인 공모 관계가 생겨났던 걸까? 그런 관계가 시작된 최초의 순간은 여기다. 꿀벌처럼, 옆 교실에 보관되어 있는 협동조합 매점의 캐러멜이며 막대사탕, 초콜릿 바를 망설이지 않고 쓸어 담은 후, 돈을 내지 않고, 서로 말없이 마음이 맞아 그냥 자리를 뜬 기억. 아주 빠르게 되풀이되는 동작.—그렇지만 좀도둑을 발견하면 매점 책임자가 크게 소리를 질러대기 때문에 신중하게.—우리는 우리가 가르치도록 되어 있는 도덕을 유린하고 있다는 명확한 의식도 없이 어린아이 같은 기쁨을 느꼈다.—어쩌면 그런 의식이 있었을는지도.

다른 아이들과 떨어져 대화하려고 찾아간 빈 교실에서 헛된 희망을 품게 되기까지는 긴 시간이 필요했을 거라고 가정해야 할까? 아니면 처음엔 하나의 가설에 불과했지만 이내 공동의 계획이 된 그 아이디어가 느닷없이 떠올랐을까? 그러니까, 사범학교를 떠나 오페어* 자격으로 영국에 가서 일한 후, 다시 돌아와 10월에 대학에 진학해 문학 공부를 하자는 생각. 누가 그 아이디어를 먼저 떠올렸을까? 틀림없이 R이었을 것이다. 절망과 병적인 허기에 빠져있고 기숙사의 무기력증에 잠식되어 있던 아니 D는 결코 자기가 갇혀 있던 그 덫에서 스스로 빠져나올 수—그 생각을 품을 수조차—없었을 것이고, 그들이 사범학교에서 보낸 몇 달간의 학비를 부모가 갚게 될 계약 파기 절차를 밟자고 앞장설 수도 없었을 것이다. 하지만 결국엔 이 모든 것들은—내 무기력한 상태에서는 꿈에도 상상할 수 없었지만—나의 부모님에게도 교장에게도 놀라울 만큼 쉬운 일이었다.

내 부모님 중 누구도, 어머니도, 아버지도, 내가 등록하려는 '대학 교양 과정'이 무엇인지 몰랐지만 그럼에도 내 선택은 어머니를 자부심과 야망으로 빛나게 했고, 어머니는 딸이 '더 높은 곳'으로 가는 걸 돕기 위해 희생할 각오를 기꺼이 다잡았다. 아버지는 마치 내가 자신의 이상을 멸시하기라도 한 듯 실망했다. (그는 평생 지갑 속에

---

* 오페어(Au Pair)는 가정에서 가사나 육아를 돕는 대가로 숙식과 급여를 받고 어학연수를 하며 외국에 체류할 수 있는 프로그램이다.

사범학교 입학시험에서 내가 얼마나 우수한 성적을 거두었는지를 다룬 기사를 〈파리노르망디〉에서 잘라 보관했다. 그 무엇도 그의 인생에서 가장 행복했던 순간, 농장에서 일해야 해서 열두 살에 학교 문밖으로 내쳐졌던 어린 농부가 세상에 앙갚음을 했던 그 순간을 그에게서 빼앗아 갈 수 없었다.)

하지만 사범학교를 떠난 이후, 내가 품었던 야망의 한계:

'나는 교수가 되고 싶지만 아마 거기까지 도달하진 못할지도 몰라. 나는 사서가 되고 싶기도 해. 내가 예전에 꿨던 꿈이 되돌아오는 셈이지.' 1960년 2월 29일의 편지.

1960년 3월 말. 나는 그 여자아이가 불로뉴쉬르메르 역에 정차한 기차의 복도에 서 있는 걸 보고 있다. 틀어 올린 금발 머리, 가장자리 윗부분이 까만 동그란 금테 안경. 하늘색 칠부 길이 우비를 입고 있는데, 계절에 비해 너무 얇은 옷이지만 가방엔 겨울옷을 넣을 자리가 없었고, 그녀는 가을에 다시 돌아올 터였다. 몇 분 후, 기차는 포크스톤으로 향하는 승객들을 태우고 선착장 쪽으로 다시 출발할 것이다. 그녀는 닫힌 창문으로 어머니를 본다. 열차에서 내려야만 했던 어머니는 더 멀리까지 따라가는 것이, 세관을 통과해서 딸을 배까지 바래다주는 것이 금지되어 있다는 사실에 실망하고 놀라 미동 없이 플랫폼에 서 있다. 어머니는 딸을 보고 용감하게 웃고 있고, 딸은 눈물이 차오르는 걸 느낀다. 그녀가 이 장면에서 1년 반 전 S의 기차역 앞에서 있었던 이와 닮은 장면을 떠올렸을 것 같지는 않다. 글을 쓰다가 이 두 장면을 겹쳐서 보고, 눈물에 대한 기억 때문에 이 두 여자아이, 의기양양해서 가족과 소도시를 떠나고 싶어 안달났던 첫 번째 여자아이와 자부심도 갈망도 없이 담담한 표정을 지어 보이며 이별과 출발의 슬픔을 이겨내려 애쓰는—자신을 기다리는 미지의 것에 대해 무엇도 욕망하지 않는—두 번째 여자아이 사이의 간극에 주목하고 있는 건 오늘날의 나다. 파리에도 가본 적 없었던 이 여자아이는 런던에 홀로 도착해 영원이나 다름없는 여섯 달 동안 함께 살 낯선 가족들에게 인도되는 자신의 모습을 상상하고 있는 게 틀림없다. 그런 것들은 어린 시절이나 사춘기에 꿨던 꿈과는 거리가 멀다. 그녀는 잘못된 미래를 선택했기 때문에 떠나고 있는 것이다. 실패로 인해 떠나는 이주민. 손님들이 퍼붓는 질문과 그들의 짓궂은 호기심에 시달리고 무위도식한다고 당황스러워하는 부모님이 있기에, 이브토에서 '아무것도 안 하고 빈둥대는 것'은 불가능하다. 그녀는 떠나야만 한다. 그것은 불가피한 일, 초등학교 때부터, 학업에서 우수한 성적을 받기 시작한 이후부터 정해진 일이다. 그녀는 부엌의 왁스칠이 된 식탁에 앉아 있거나, 이브토에 남아 있기를 원해서는—좋아해서는—안 된다. 어머니가 말하듯 '앞으로 나아가야' 한다. 그녀는 마음을 은밀히 동요시키는 아즈나부르의 노래에 등장하는 사라이다. '부모를 위해서 살 수는 없어.' 바로 그 순간, 그녀는 이 세상에서 자신을 잡아주는 유일한 밧줄을 끊어내야 한다. 2주 후면 런던에서 R과 다시 만날 거라는 생각은 그런 그녀에게 아무런 도움도 되지 않는다.

체류 초반에 마리클로드에게 보낸 편지들의 봉투 뒷면에는 '미스 A. 뒤셴느 히스필드, 21 켄버 가 런던 N21 잉글랜드'라고 적혀 있고, 그 편지들은 방학 캠프 이후 사라진 흥분으로 전율하고 있다. 편지에는 '시대의 유행에 밝고' '세 번째 주에 가든파티를 열' 예정인 포트너 가족의 집에 머물게 되어 만족하고 있고, 그 집의 두 아들인 브라이언과 조너선이 각각 열두 살, 여덟 살이라 이미 너무 커서 돌볼 필요가 없다는 점이 기쁘다고 적혀 있다. 그녀는 집이 '아주 아름답고 붉은 카펫이 깔려 있으며 사방에 거울이 있어 무척 미국적'이라고 묘사하면서, 그들이 '유대교이며, 금요일 저녁식사마다 식탁의 초를 밝히는 관습'이 있다고 언급한다. 그녀는 방문한 장소들, '마네, 모네, 르누아르, 앵그르의 〈샘〉'이 전시된 런던국립미술관, 세인트폴 성당, '공포의 방이 있는' 마담 투소 박물관, 런던탑, 런던 부두, 버킹엄 궁전, 마블 아치, 피카딜리 서커스 등을 나열한다. '나는 내 인생을 사랑하고, 세계 시민이 되는 게 좋아. 나는 전 세계를 여행하고 모두를 다 사랑하고 싶어'라고 쓴 후, 그녀는 허영심에 차서—그리고 얼마 전까지 자기 자신의 굴에서 빠져나오지 못했던 여자아이가 사회적인 면에서 앞서 있는 친구에게 설욕하고 싶은 무의식으로—덧붙인다. '우리가 이브토에 있었을 때, 우리는 네가 방랑하는 삶을 살 운명이고, 나는 정착하는 삶을 살 거라고 생각했었잖아, 그렇지 않니? 삶에서 벌어지는 일들은 우리를 정말 다른 사람으로 바꿔놓는 것 같아.'

이때 내가 말한 '일들'이란 방학 캠프와 H, 사범학교에 다녔던 것을 가리키는 것이었으리라 추측한다. 확실한 것은, '영국은 조용하고 변화가 없는 나라야. 잔디는 푸르고, 사람들은 밝은 색과 핑크빛 케이크, 페리 코모 노래처럼 달콤한 노래를 좋아해'라고 즐거운 마음으로 편지에 적는 이 여자아이는 더 이상 세상 밖에 떨어져 있지 않다는 것이다. 비정상적 식욕에서 해방되지는 못했다 할지라도, 생리를 하지 않을지라도, 그녀는 얼어붙은 상태에서 빠져나오는 중이다.

몇 년 후, 주류를 이루는, '좋은 취향'에 대해 내가 잘 알게 되고 나서 돌이켜 생각해보면, 옻칠과 금칠이 되어 있고, 고가구나 책장, 〈리더스다이제스트〉 잡지 외의 책은 보이지 않는 포트너 집안의 인테리어는 내게 신흥 부자들의 취향처럼 여겨질 것이다. 하지만 1960년대 여자아이는 틀림없이 자신이 호화로운 세계에 와 있는 것 같다고 느꼈을 것이다. 육중한 커튼이 드리워진 거실엔 푹신한 소파가 두 개 마주 보게 놓여 있고, 커다란 텔레비전과 낮은 테이블들, 가정용 바가 있다. 가전제품 상점 진열장에서만 보았던 기구들이 구비된 부엌, 이를테면 전기레인지라든지, 냉장고, 세탁기, 토스터, 믹서 — 그녀는 이런 것들 앞에서 1년 전 보았지만 보면서 웃을 수 없었던 자크 타티의 영화 〈나의 삼촌〉을 떠올리고 있지는 않았을까? — 휘황찬란한 욕실, 분홍색 화장실, 현관에 놓인, 조각으로 장식된 원탁 위의 상아색 전화기. 태어나 처음으로 욕조에 누워 있는 동안 잃어버렸던 현재가 주는 기쁨이 그녀에게 되살아난다. 그리고 이러한 장식 속에서 움직이고 숨 쉬고 먹고 잠자는 것, 새로운 물건들을 자연스럽게 사용하는 법을 익히는 것, 이런 것들이 그녀가 너무 하기 싫은 일들을 저항 없이 해내도록 돕는다 — 그 일들이란 오페어 여자아이들을 관리하는 기관인 '국제 관계'가 말한 것처럼 단순하게 '집의 안주인을 돕는' 것과는 거리가 멀었다. 해야 하는 일들은 다음과 같았다.

매일 아침: 설거지, 부엌과 거실 바닥을 닦고, 욕실과 화장실을 에이젝스 세제로 문질러 닦고, 모든 방에 청소기 돌리기(작은 비와 쓰레받기를 들고 다니며 먼지를 털어내야 하는 계단은 제외)

매주: 현관문과 현관 왁스칠하기, 가죽 닦기, 다림질.

이 기억도 역시 냉혹하다.

요컨대, 이렇게 더 잘 사는 계층의 삶에 푹 빠져 있었던 경험은 내가 프랑스로 돌아왔을 때 영국에서의 나에 대해서 아버지가 말했던 것이 사실이라고 받아들이게 했다. '사실상 너는 영국에서 식모였던 거구나!' 웃으면서 말했다 할지라도, 그런 생각은 수치스러운 진실처럼 나를 깊이 자존심 상하게 했다. 비록 내가 오전이 끝나기도 전에 시간을 자유롭게 보내려고 비굴한 상황 속에서 떠올릴 수 있던 온갖 잔꾀를 부려가며—침대 시트를 제대로 정리하는 대신 그저 덮어만 두기, 침을 뱉어가며 유리 테이블 닦기—일을 대충대충 했다 할지라도.

〈데일리 익스프레스〉를 읽고, '새로운 사강'으로 불리는 미국 작가 패멀라 무어의 『아침은 초콜릿』을 읽기 시작했으며, 배질 디어든 감독의 〈신사동맹〉을 보러 갔다는 이야기와 함께 첫 번째 편지 속에 적혀 있던 '영어를 완벽하게 습득하겠다'는 결심은 금세 흐지부지해졌다. 교외로 정규 수업을 들으러 가는 것이 어렵기도 했지만—수업은 일주일에 한 번, 저녁에 있었다—핀츨리 도서관에서 동시대 프랑스 소설을 쉽게 빌릴 수 있다는 사실이 결정적인 역할을 했다. 편지들에는 비교적 근간인, 그녀가 읽었던 책들의 목록과 함께 '프랑스어로 쓰인 산문들 속에서 허우적댄 것에 대한 후회'의 말들이 적혀 있다.

뷔토르의 『변경』

앙드레 슈바르츠바트 『최후의 의인』, 근사한 책
로제 바양 『못된 짓』, 끝내줌
베르나르 프리바 『담장 아래서』, 마음에 듦
로제 페레피트 『우리의 특별했던 우정』, 약간 지루함
클로드 모리악 『도시에서의 저녁식사』
장 블로 『뉴욕의 아이들』

모국어에 빠져드는 기쁨을 뿌리칠 수 없는 상태는 아마도 내가 계속해서 그리고 어디서나 외국어에 노출되어 있었기 때문에 심해졌을 것이다. 초반에 내가 갖고 있던 열의—수업 시간에 어떤 아이가 '영어로 생각한다'고 말한 걸 듣고 그럴 수 있다는 생각에 내가 놀라 질겁했던 기억으로 미루어보건대, 그 열의가 깊은 욕망에 근거하지는 않았을 것이다—는 R이 영국에 도착하면서 완전히 무너졌다. R은 내가 살던 곳에서 1마일* 정도 떨어진 곳에 있는 가족의 집에서 머물렀다.

나는 패멀라 무어의 책을 끝내 다 읽지 못했다. 위키피디아에 따르면 패멀라 무어는 1964년 자살했다.

* 1.6킬로미터

R은 나의 유일한 '청춘 시절의 친구', 그러니까 사회에 입문하고, 결혼하고, 직업을 갖기 이전 시절의 친구다. 이제 보니 나는 R의 사진을 단 한 장밖에 갖고 있지 않은데, 그건 1958년 10월 철학II반 아이들 전체와 함께 찍은 사진으로, R과 나는 두 줄 정도 떨어져 앉아 있다. 그녀는 첫 줄에 앉아 있고 원피스 교복 위에 평평하게 손을 포개고 있다. 그녀의 얼굴—갈색이 감도는 금발의 짧은 머리 아래 드러난 얼굴은 오늘날 기이하게 달처럼 둥그스름하고 차가워 보인다—위에 미소가 보이지는 않지만 R은 내가 좋아하던 뾰로통한 표정을 짓고 있다. 나는 R이 조소와 자부심이 섞여 있는 그런 표정을 짓는 걸 자주 보았다. 앉아 있는 R은 실제보다—158센티미터—커 보인다. 하지만 자세히 들여다보면 곧은 다리를 가지런히 모으고 있는 R의 끈 달린 단화 끝만 겨우 바닥에 닿아 있다는 걸 알 수 있다.

하지만 나의 기억 속에서, 내가 바라보고 있는 R은 다른 사람이다. 결단력 있고, 행동이 부드러우며 마음을 사로잡고 싶은 사람 앞에서는—그게 성인 남자든 여자든—미소 띤 천진한 표정부터 단호한 표정까지를 지어

보일 수 있는 키 작은 여자아이. 음색이 좋고, 약간 낮은 목소리는, 누군가의 마음에 들어야 할 때면 평소의 단호한 어조를 잃고, 부드럽고 상냥한 어조로—힘겹게, 사실이 그렇다—바뀌곤 했다.

내가 그녀를 보부아르의 『초대받은 여자』의 자비에르에 겹쳐 보기 시작하고, 그녀의 공격성을 더 이상 참기 힘들어하게 되기 전까지 내가 알던 R에 대해서 무슨 말을 더 할 수 있을까?

우리 집에 놀러온 R이 스스로 수준 높다고 생각하는 사람들이 낮은 사람들에게 맞춰주는 거라고 믿으며 사용하는 말투로 아버지에게 인사를 건네기 전까지

내가 부모님을 수치스럽게 느끼지 않도록 R이 나를 결코 자신의 부모 집에 초대하지 않을 거라는 걸 알아차리기 전까지

1961년 여름, 대학에서 새로 사귄 친구인 G와 함께 편지를 써서, 어떤 의미에서 내가 그녀를 버리기 전까지

그리고 내가 단 한 번을 제외하고 그녀를 다시 보지 않게 되기 전까지. 내가 그녀를 마지막으로 본 건 1971년으로 생토노레레방 온천 공원의 중앙 온천탕 옆이었는데, 그녀는 한 남자와 어린 여자아이와 함께 엎드려 있었고, 나는 자전거 경주 선수처럼 특이하게 발달한 종

아리를 보고 곧장 R이라는 걸 알아볼 수 있었다. 그리고 그녀가 돌아누웠을 때 우리의 시선이 마주쳤고, 우리는 한마디 말도 없이 시선을 돌렸다.

그녀에 대해서 무엇을 말할 수 있을까? 하지만 왜 무엇인가를 말해야만 하나?

아마도 그것은 6개월 동안, 다른 사람들 없이 낯선 나라에 함께 있으며 내가 그녀, R과 맺었던 방향성 없는 유대관계를 빼고는 영국에 있던 시절의 나였던 — 그리고 제르멘 몽테로가 부른 피에르 막 오를랑의 노래 〈들쥐가 내 방에 왔어요〉 등등 때문에 오랫동안 내가 '런던의 여자아이'라고 부르곤 했던 — 그 여자아이를 되살아나게 할 수 없기 때문일 것이다.

마리클로드에게 쓴 편지를 인용해보면 어떨까?

'R은 […] 끝내주는 아이야. 편견도 없고, 재미있고 너무나 낙관적이거든. 아무 걱정도 없어!'

R이 도착하고 6주가 흐른 후인 5월 중순에 쓴 편지 속에서 나는 그녀가 세상에 직면하는 방식인 편안함과 가벼움에 대해 느끼던 경탄 섞인 놀라움을 읽을 수 있다. 그건 과거에도 지금도 내가 살아가는 방식과는 언제

나 대척점에 있는 방식이다. 지금에 와서는 그녀의 가벼움이 부모의 '지극한 사랑을' 받는다는, 결혼해서 전업주부로 살며 두 아이의 어머니로 사는 언니보다—언니 옆에 있으면 R은 작은 천재처럼 여겨졌을 것이다—더 사랑받는다는 되풀이되는 확신에서 기인한 거라고 나는 생각한다. 몇몇 구체적인 점들—산업 디자이너이며 '사무실'에서 일하는 아버지, 집에 있는 어머니, 코트다쥐르로 떠나는 휴가, 클래식 음악 음반 같은 것들—때문에 모르긴 해도 나보다 우월할 거라고 여겼던 그녀의 사회적 계층에서 기인한 거라고도. 아마도 애지중지 사랑받은 중산층 출신 아이가 지닌 미래에 대한 태평함이 R로 하여금 나를 따라 사범학교에 진학하게 하고, 곧이어 손쉽게 그곳에서 빠져나오게 했을 것이다.

우리는 자유 시간을 모두 함께 보낸다. '현모양처들'—우리를 고용한 집안의 어머니들을 우리는 그렇게 불렀다—이 집을 비우면 우리는 전화기로 달려들었는데, 집에서 사적인 용도로 전화를 쓸 수 있다는 건 우리 둘 모두에게 새로운 발견이었다. 나는 외양상으론 잘 어울려 보이지 않는, 키가 크고 작은 우리 둘을 보고 있다. 핀츨리 쇼핑몰의 탈리호 코너에 있거나, 울워스 마트에서 유제품 가게까지, 더 멀게는 바닛, 하이게이트, 헨든,

골더스 그린 지역까지 차들이 누비는 길을 따라 걸어가는. 그 길을 걷는 사람은 우리 말고 많지 않고 우리는 그렇게 수 킬로미터를 걸으면 우리가 먹어치운 것들—레몬커드, 쇼트브레드, 트러플 케이크, 스마티스 초코볼과 밀키웨이, 카라맥 바, 데어리 밀크초콜릿 바, 4펜스만 내면 자판기에서 살 수 있던, 눈처럼 폭신한 크림이 웨하스 사이에 끼어 있던 아이스크림 샌드위치—때문에 찐 몇 킬로그램을 뺄 수 있을 거라는 확신에 차 있다. 새롭게 알게 된 달콤한 맛이 우리를 흥분시키고, 우리는 모든 것을 먹고 싶은 욕망을 느낀다. 나는 R을 나의 탐욕의 세계로 이끈다. 런던의 여자아이는 폭식과 금식을 번갈아 함께할 R이라는 좋은 짝꿍을 얻은 것이다.

우리는 찻잔을 끊임없이 닦고 말리는 안경 쓴 잿빛 머리의 여자가 운영하는 탈리호의 카페에서 테이블에 보브릴—비앙독스와 유사한 영국 음료—이나 차 한 잔을 놓고 앉아 몇 시간 동안이나 대화를 나눈다. 고등학교에서 사범학교로 이어지는 공통의 경험이 있어 대화는 풍성해진다. 열성적인 공모자들인 우리는 영국인들이 사는 방식을 비교하고 깎아내리며 비판할 거리를 끝없이 찾아낸다. 아무도 알아듣지 못하리란 생각으로, 사람들을 멍청한 놈이나 헤픈 여자 취급을 하며 목소리를 낮추지 않고 크게 떠든다. 우리는 땅에서 뿌리 뽑힌 채, — 우스꽝스럽든 아니든 — 그 규칙이 우리에게 적용되지 않는 사회 안, 흥분과 프랑스어로 이루어진 거품 속에 있다.

내가 '아니(Annie)'인 건 오직 R 앞에서만이다. 다른 때에는 포트너 가족의 영국식 발음이 내 이름을 '애니(Any)'로 바꾼다. 어느, 어떤, 아무나, 아무것을 의미하는 부정사 '애니'.

우리는 아주 가까운 과거 — 최선을 다해 욕을 퍼붓는 사범학교 — 와의 단절을 달콤하게 즐기고, 10월에 대학에서나 시작하게 될 모호한 미래에 대해서도 근심하지 않는다. 나는 우리가 텅 빈 자유 속에서 살고 있는 걸 바라보고 있다. 시간이 조금 흐른 후 나는 영국에서 보낸 이 몇 개월을 헤겔의 말을 따라 '모든 것이 평탄하고, 모든 나쁜 것을 멀리하게 되는 인생의 일요일'이라고 생각할 것이다. 비어 있고 한가로운, 1960년 영국의 일요일.

우리의 시야에 가벼운 연애나 사랑 같은 건 없었다. R은 남자들의 시선을 끌고 싶어했고 시선을 끌고 나면 만족감을 보이기도 했지만 그럼에도 그 애에게 그런 건 별로 중요하지 않은 문제처럼 보인다. 남자들이 시선을 던지면 R은 순진하고 어리둥절한 표정으로 답한다. 그녀의 연애 경험은 1년 전 여름 해변에서 나눴던 몇 번의 입맞춤으로 요약되는 듯하다. 런던의 여자아이는 어린 소녀같이 느껴지는 R 옆에서 자신이 나이 들었다고 느낀다. R이 순진할 거라고 지레짐작했기 때문에—R이 자위조차 하지 않을 거라고 상상했다—R에게 '내게 연인이 있었다'고 고백할 수는 없었다. 그리고—내가 그런 거나 다름없다고 믿고 있듯이—'난 더 이상 처녀가 아니야'라고도. 나는 우리의 우정에 말로 나눌 수 없는 금지된 영역이 있다는 사실이 내 마음을 괴롭혔을 거라고 생각하지 않는다. 오히려 그런 것은 H와 여름방학을, 철학 수업을 듣고 보부아르를 읽기 시작한 이후 갖게 된 '성적 대상'이 되었다는 수치심을 잊어버리고 싶어하던 나의 의지와 잘 맞아떨어졌다. 우리는 서로 앞다투어 순수한 소외, 우스꽝스러운 허상에 지나지 않는 사랑과 열정을 깨부쉈다. 마리클로드에게 쓴 편지:

'우리는 수컷 없이 즐기고 있어.'

이 글의 시작은 내게 아주 멀게 느껴진다. 인생과 글쓰기 사이에는 상응하는 면이 있다. H와의 첫날밤에 대해서 쓴 이야기는 핀츨리에 있을 당시 내가 실제 그 첫날밤에 대해 느꼈을 것만큼이나 멀게 느껴진다. 생각해

보면 이 두 기간은 그렇게 차이가 나지도 않는다. 내가 1958년 8월의 밤에 대해 쓰길 마친 건 13개월 전이고, 핀츨리에 있었던 그때 그날 밤의 일은 20개월 전에 일어났다. 이 기간은 둘 다 똑같이 경험되고, 상상됐다.

나는 우리가 가지고 있던 욕망의 정체가 무엇이었는지는 확실히 알고 있지만, 어떤 정황—정확한 장소, 날짜, 갈망했던 대상—속에서 우리가 사범대학 시절 했던 행동을 재현하게 됐는지는 기억할 수 없다. 아마도 프랑스엔 거의 존재하지 않았던, 슈퍼마켓의 자율계산대가 우리를 유혹했을 것이다. 이번에는 실제로 장사를 하는 공간에서 실행에 옮기고, 발각될지 모르는 위험을 감수한다는 사실이 새롭고 알 수 없는 쾌감을 불러일으켰을 것이다. 그리고 그 쾌감은—뒤이어 언제나 그랬듯—공원이나 바에 앉아 배꼽을 잡고 웃으며 전리품을 꺼내 살펴보면서 우리의 업적에 대해서 다시 이야기를 나누는 달콤함으로 더 커졌다.

초반에는, 우리가 훔치는 대상이 군것질거리뿐이었는데, 담배 가게를 운영하는 래빗 씨 노부부가 우리의 주요 타깃이었다. 초콜릿 바와 스마티스 초코볼이 진열된 그곳의 판매대는 내가 방학 캠프에 가지고 갔던 파란색과 흰색으로 이루어진 가방에 닿을 만한 높이였고, 나는 그 가방 안에 초콜릿이나 사탕을 쓸어 담았다. 그러다 우리가 훔치는 품목은 울워스의 진열대에 있는 자질구레한 것들, 립스틱이나 바느질이나 손톱정리에 필요한 것들까지로 확대됐다. 오페어 여자아이들의 최저임금이—주당 1.5파운드—사치를 허용하지 않지만—하지만 나는 체류 기간 동안 원피스 두 벌과 부모님을 위한 작은 선물들, 포트너 가족에게 이별 선물로 줄 웨지우드의 아주 고급스러운 소지품 케이스를 살 수 있었다—그런 행동을 하도록 추동한 것은 물건을 소유하고 싶은 욕구나 필요는 아니다. 그것은 놀이. 모험.

모험은 가게 입구에서 시작된다. 활동 범위를 선택하고 장소를 탐색하면서. 그다음, 경계를 늦추지 않으며 자연스러운 연기를 해야 한다. 다른 이들을 살피고, 그들의 행동을 상상하고, 평가하는 모든 능력은 단 하나의 목표를 향해 긴장되어 있다. 탐내는 물건에 최대한 가깝게 다가가고, 그 물건을 집어 들고, 내려놓고, 멀어지고 다시 돌아오는, 매순간 고안되는 하나의 안무. 도둑질은 레이더이자, 주위 환경에 대한 감광판으로 변신한 육체가 하는 작업이다. 실행에 옮기는 순간, 손으로 물건들을 주머니나 가방 속으로 사라지게 하는 그 순간에 우리는 자기 자신으로 있는 것에 위험을 느끼는데, 이때 자의식은 이제는 자기 것이 되었고 불타는 듯 느껴지는 사물을 챙겨 무심을 거짓으로 위장하며 상점을 빠져나갈 때까지 극도로 예민해져 있다. 그러고 나서 바깥에, 50미터 이상 떨어진 곳에 안전하게 이르면, 또 한 번 두려움에 맞섰고 각자 가장 어려운 업적을 달성했다는 환희 말고는 아무것도 없다. 그 증거, 트로피를 우리는 가방 안에 가지고 있다. 어떨 때는 팬티와 브래지어 위에 걸쳤던 셀프리지스 백화점의 비키니—우리의 가장 근사한 수확물이었다—처럼 몸에 지니기도 했는데 그런 기이한 옷차림 때문에 돌아가는 길, 지하철 안에서 우리는 미친 사람들처럼 즐거워했다.

실행에 옮기는 이런 대담함을 우리는 '깡이 있다'라고 부른다. 깡이 있는 건 자랑거리이고, 심지어 경쟁거리이기까지 하다.

래빗 씨 부부의 가게에서 군것질거리들을 슬쩍할 때, 아니 뒤센느는 R과 함께 거리낌 없이 골탕 먹이는 작은 상점의 경계심 없는 주인들의 모습에서 부모님의 모습을 보고 있을까? 죄책감과 비슷한 무언가가 그녀의 마음을 건드리고 있을까? 나는 그렇게 생각하지 않는다. 비록 상점 여주인의 어둡고 엄한 얼굴이 오늘날 내겐 말년의 어머니의 얼굴과 겹쳐 보이지만. 그녀는 다른 사람에게 저지르는 행동에 대해 도덕적인 판단을 할 수 없는 일종의 도덕적 기억상실증에 걸려 있다. 우리는 누군가에게서 1페니도 훔치지 않을 거고, 길에서 지폐가 가득 든 지갑을 주우면 경찰서에 가져다줄 거야. 그런 우리를 우리는 범죄자라고 생각하지 않았다. 우리의 눈에 우리는 그저 다른 사람들보다 편견이 없고 대담한 여자아이들이었을 뿐이다.

1년 뒤 내가 쓴 몇 편의 시 중에서, 나는 이렇게 시작하는 시 한 편을 찾았다.

> 토트넘 코트 로드였어
> 오만한 거울 속
> 내 얼굴은 겁에 질려 땀을 흘리고
> 찻집은 저녁을 향해 달아났지
> 다른 세상이었어
> 영원처럼 차갑고 잿빛인 세상

나는 내가 이 시를 대학 시절 친구들에게 읽혔던 일

을 기억하고 있다. 아마도 나는 차마 털어놓을 수 없지만 실제로 있었던 일화를 수많은 비유를 사용해 비물질적이고 신비로운 어떤 것으로 아름답게 변형했다는 사실에 자랑스러워했을 것이다. 그렇지만 이 시를 쓰게 한 실재의 이미지가 긴 시간이 흘렀는데도 변함없이 살아남을 수 있었던 건 오히려 이 시 때문이다. 홀로, 찻집에, 앉아 있는 여자아이의 이미지, 사방에 거울이 있고, 거울로 자신을 보고 있다.

조금 전, 옥스포드 거리의 백화점을 빠져나올 때 어떤 손이 팔 하나를 붙잡았다. 내 팔이 아니었다. 놀랍도록 못생기고 푸른색 투피스 차림을 한 검은 머리카락의 키 작은 여자가—얼굴 한가운데에 코가 말뚝처럼 박혀 있었다—나에게는 오지 말라고 단호하게 말하고는 R에게 상점 안으로 따라오라고 시킨다. 형사. 같이 훔치기로 한 1층 액세서리 매대에서, 나는 이상하게 마음이 불편했고 상황이 여의치 않아 아무것도 훔치지 못했다. 그래서 나는 근심 없이 슬쩍해대는 R처럼 하지 못한다는 사실에 화가 나서 몇 번이나 말했다. "왜 그런지 모르겠어, 깡이 안 생겨."

R에게 기다리겠다고 했을 그 토트넘 코트 로드의 찻

집에서, 갈색 모조 스웨이드 자켓을 입은 여자아이가 문 쪽을 보면서 혼자 테이블에 앉아 있는 걸 나는 보고 있다. (마침내 그 문을 열고 들어오는 건 경찰에 불려 나온, R을 고용한 가족의 어머니다.) 경악과—그러니까 그게 놀이가 아니었어?—이해할 수 없는 방식으로 작동되는 운명, 일종의 기적 덕택에 자기가 잡히지 않았다는 안도감 말고 달리 그녀가 느끼는 게 있을까? 오늘날 내게 그 기적이라는 것은 그저 다른 이의 시선과 존재에 특별히 쉽게 영향받는 내 예민한 기질을 보여주는 것처럼 보이지만. 그렇다 하더라도, 자신의 인생이 완전한 실패가 되었다는 확신이 그녀의 머릿속을 스치지 않았으리라고 가정하는 것은 불가능하다. 하지만 나는 그녀가 그 완전한 실패의 기원을—조금 지나면 내가 그럴 것처럼—방학 캠프에서 찾았는지는 모르겠다.

R은 주머니에서 발견된 장갑과 다른 조잡한 장신구들에도 불구하고 태연하게 모든 걸 부인하며 버텼다. 그녀의 영국인 가족이 보석금 20파운드를 지불해 R이 유치장에서 자지 않도록 해주었다. R은 그다음 주 법정에 출두했고 나는 시험을 잘 치르기 위해 그러듯 투지를 발휘해 성경에 맹세하며 그녀의 무죄를 증언했다.—그간 영어가 조금 는 것은 분명했다—포트너 가족은 내가 훌

룡했다고 말했다. R의 변호사는 재판장에게 피고인의 얼굴을 보라고 말하며 변론을 마쳤다. —무죄의 이미지 그 자체 아닌가요? —변호사는 불쾌하고 못돼 보이는 형사의 얼굴이 고소가 허위라는 사실을 증명한다는 확신을 전파하면서(얼마 전에 본 〈슬픔이여 안녕〉 영화 때문에) 진 시버그처럼 짧게 머리를 자른 R의 동그란 얼굴을 가리켰다.

R은 무죄가 선고되었다. 결국엔 영광스럽게 끝난 우리의 무모한 장난은 두 달 반가량 지속되었다.

우리가 보기에 사법적인 일관성이라고는 전혀 없고, 눈에 보이는 요소들로만 축소되어버린 사회 질서에 대한 경고는 우리가 살고 있던 유희의 거품을 꺼뜨렸다. R을 법정에 출두하게 하고 나로 하여금 선서를 하게 만들어, 영국은 우리를 보살피고, 우리 행동의 의미에 대해서 뼈저리게 깨닫게 했다. 하지만 법에 승리했기 때문에 우리는 모든 걸 쉽게 잊었다. R은 1960년대 여자아이에게 일어날 수 있는 더 끔찍한 일과 우리에게 일어난 일을 비교한 끝에, 적절한 결론을 내렸다. 임신하는 것보다는 낫지. 우리는 그 일에 대해 이야기하기를 금세 그만둔 것 같다. 둘이 공유하던 수치스러운 비밀.

R에 관해 내가 가지고 있는 마지막 실제 이미지는 1971년 8월 말의 어느 아침, 노란색 여름 원피스에 푸른 카디건을 걸친 채 즐겁지 않은 표정으로 남편과 어린 딸과 함께 생토노레레방 온천 공원의 좁은 길을 따라 점점 멀어지다가 주차장에 세워진 시트로앵DS에 오르는 젊은 여성의 모습이다.

나는 그녀가 어떻게 됐는지 모른다. 그사이 흘러가버린 시간과 그녀에 대해 아무것도 모른다는 사실이 나에게 그녀가 연루된 사건에 대해서 이야기할 수 있는 허가처럼 여겨졌다. 마치 반세기 전 내 인생에서 사라진 사람은 어디에도 존재하지 않는 것처럼. 혹은 나와 함께 있었던 그녀의 존재 외에는 다른 형태로 존재할 가능성을 부정하기라도 하는 것처럼. 그녀에 대해서 쓰기 시작했을 때, 무의식의 술책으로, 그녀에 대해 폭로할 권리가 있는가 하는 질문을 계속해서 미뤄왔다. 어떤 의미에서, 그녀에 대해 벌써 써버린 모든 것을 들어내기—희생하기—불가능하다는 걸 아는 순간—바로 지금—에 이를 때까지 양심의 가책을 억눌러온 셈이다. 그녀에 대한 이야기를 하는 것은 나에 대해 쓰는 것과 관련이 있다. 이게 허구의 이야기와 완전히 다른 점이다. 현실과 관련해서는 타협이 가능하지 않다. 런던의 재판소 기록 보관소에 우리의 이름으로, 그녀가 피고인, 내가 피고측 증인으로서 기록되어 보관되어 있는 일어나버린 일과 관련해서는.

나는 어떤 생각과 기억의 흐름, 어떤 주관적 현실을 영국에 오페어로 있던 시절의 사진—유일한 그 시절 사진인 이것은 R이 핀츨리 야외 수영장에서 찍어준 5×5 사이즈 흑백 사진으로 삐딱하게 멀리서 찍은 것인데, 나는 들판과 나무가 배경에 보이는 타일 바닥에 앉아 있다—속의 여자아이에게서 가져올 수 있을까? 분명 지금의 내게, 내가 머지않아 될—혹은 이미 되어 있다고 믿었던—것의 시작처럼 보이는 모두를 제외한다면.

브리지트 바르도 스타일로 높고 풍성하게 틀어 올린 금발, 비키니—셀프리지스 백화점의 푸른색 비키니다—선글라스, 가는 허리와 당연하게도 진짜가 아니라 비키니 컵 안쪽에 넣은 풍성한 '패드'로 부풀린 가슴을 도드라져 보이게 하려고 신경 써서 취한 포즈—한 팔은 뻗어 타일에 기대고 다른 팔은 접혀 있는 다리 위에 부드럽게 늘어져 있다. 내가 보고 있는 건 핀업걸의 겉모습을 하고 있는 여자아이이다. 아니 D는 조금 더 키가 큰 버전의, 방학 캠프의 금발 여자 교사, H의 금발 여자가 되어 있었다. 차갑고, 폭식을 하고, 생리를 하지 않으며, 남자들의 수작을 거만하게 거절하는 핀업걸이긴 하지만. '수영장에서, 나는 세 명의 남자아이들과 이야기를 했어. 스위스, 오스트리아, 독일 사람이었어. 그들은 재미있고 흥미로웠지만, 그들이 하는 농담이 나를 움츠러들게 만들었고, 우리들의 관계는 거기서 더 진전이 없었어.' 1960년 8월 18일의 편지.

방학 캠프의 모든 기억은 갇혔다. '진짜 숙녀'인 R의 존재가 억압하게 만든 '아무것도 아닌 여자아이'의 과거. R에게 털어놓을 수 없기 때문에, 나는 나의 망각을 더욱 단단히 다진다. 그녀의 옆에서, 나 자신을 품위 있는 사람으로 조용히 만들어낸다. 생물학적으로 처녀성을 잃었든 잃지 않았든, 창녀 같은 년은 다시 '진짜 숙녀'가 된다. 이제 누가 과거의 그녀를 기억한단 말인가? 정말로 아무도 기억하지 못한다.

눈을 감고 타월 위에 누운 채, 사진 속의 여자아이는 어떤 편지에 내가 쓴 것처럼 '과거의 나로부터 아주아주 멀리 떨어져 있다'고 생각했을 것이다. 나는 그녀가 머릿속으로 자신의 어린 시절 이미지들을 떠올리는 걸 상상해본다. 왜냐하면 그녀가 런던에서 하늘을 나는 비행기 소리를 듣고 폭격이 퍼붓는 전쟁과, 얼이 빠질 만큼 시끄럽게 공습경보가 울리던 거리로 모종의 달콤함을 느끼며 어느 오후 되돌아간 적이 있기 때문이다. 그녀는 그들의 작은 상점에 있는 늙고, 조금 우스꽝스러우며 친절한 부모님을 멀리서, 멀찍이 떨어진 사랑으로 바라본다. 마치 현실이 자신과 거리를 두고 물러나는 것만 같이 느끼면서.

나는 나 자신을 문학적인 존재, 언젠가는 글로 써야만 하는 것인 듯 모든 일을 경험하는 누군가로 만들기 시작했다.

1960년 8월 말이나, 9월 초의 어느 일요일 오후, 나는 우드사이드파크 역 옆의 공원 벤치에 홀로 앉아 있다. 해가 떠 있다. 아이들이 논다. 나는 글 쓸 것을 가지고 왔다. 나는 소설을 쓰기 시작한다. 어쩌면 한두 페이지를 쓴다. 그보다 더 적은 분량이거나. 어쩌면 이 한 장면만을 썼을지도 모른다. 여자아이는 남자와 함께 침대에 누워 있고, 여자아이는 일어나, 도시로 떠난다.

이제는 사라져버린 소설의 도입부에서 기억에 확실히 남아 있는 건 첫 문장이다. 말들은 바닷가에서 천천히 춤을 추었다.

포트너 가족의 집 텔레비전에서 나를 크게 동요시킨 한 장면을 보았다. 그건 두 마리의 말이 뒷발로 서서 슬로모션으로 해변을 돌아다니는 장면이었다. 이 이미지로 나는 성행위가 자아내는 시간이 늘어지고 수렁에 빠진 듯한 감각을 떠올리게 하고 싶었다. 내가 2년 후에 쓴, 이 도입부에 이어지는 아주 짧은 소설에 근거해 생각해본다면 이 소설을 통해 내가 이야기하고 싶었던 건 H와 겪은 내 이야기의 실체가 아니다. 내가 쓰고 싶던 건 세상에 어떻게 존재하지 않을 수 있는가—세상에서 행동하는 방법을 어떻게 모를 수 있는가에 대한 것이다. 그건 크고 모호한 주제였고, 어쩌면 그것이 그 이후 내가 문학을 전공하는 학생이 되어 있을(혹은 철학을 전공하는—나는 보부아르 때문에 망설이고 있었다) 미래에 완성하겠다고 미루면서 소설을 계속 이어서 쓰지 않은 이유를 설명해주는지도 모르겠다. R은 내가 글을 쓰고 싶어한다는 걸 전혀 알지 못했다. 나는 R이 나의 야망이 얼마나 어리석은 것인지 내게 증명하려고 애쓰리라 확신하고 있었다.

나는, 이 책을 쓰면서, 우드사이드파크 공원 벤치에 앉아 있는 여자아이의 이 이미지로부터 내가 자석에 이끌리듯 끌려왔던 것은 아닌가 자문하고 있다. 캠프에서의 밤 이래 일어난 모든 일들이, 추락에서 추락으로 이어져, 이 최초의 글쓰기로 귀결되기라도 하는 것처럼. 그러니까 이것은 글쓰기라는 안식처에 다다르기까지의 위태로운 횡단에 대한 이야기다. 그리고 결국 중요한 것은 일어난 일이 아니라 일어난 일을 가지고 우리가 무엇을 하는가라는 깨달음을 증명하는 이야기. 이런 것은 모두 우리를 안심시켜주는 믿음의 영역에 속한 일이다. 나이를 먹을수록 점점 더 깊이 우리 안에 뿌리내리게 되어 있으나 그 진실을 밝혀내기가 사실상 불가능한 믿음.

1989년 1월 어느 주말에 나는 여러 작가들과 함께 바비칸 센터에서 열리는 문학 행사에 참가하러 런던에 갔다. 자유 시간이 주어진 일요일 아침, 나는 지하철 노던선을 타고 이스트 핀츨리까지 갔고 이어 버스를 타고 버스기사에게 포트너 가족의 집에서 가장 가까운 정류장이었던 그랜빌 로드 정류장을 알려달라고 말했다. 정류장에 도착하기 전, 수영장을 보았다. 나는 켄버 가로 접어들었다. 포트너 가족의 집은 내 눈에 작고 평범해 보였다. 탈리호 코너에는 울워스밖에 남아 있지 않았다. 래빗 씨 부부가 운영하던 담배 가게는 사라졌고, 엘리자베스 테일러가 등장하는 〈지난 여름 갑자기〉(10년 후에 보게 된다) 포스터가 붙어 있어 영화를 무척 보고 싶게 만들었고, 상영관에 들어가지 않더라도 커다란 팝콘 봉지를 살 수 있던 영화관 또한 사라졌다. 나는 우드사이드파크로 향하는 지하철을 다시 탔다. 공원을 다시 보았는지는 기억나지 않는다. 돌아오는 길에, 나는 일기장에 다음과 같이 썼다. '학회의 참석자들은 모두 박물관으로 달려갔고, 나는 내 지나간 삶 속의 노던 핀츨리에 갔다. 나는 문화적인 사람이 아니다. 나에게 중요한 것은 단 하나밖에 없다. 삶을, 시간을 붙잡고 이해하며 즐기는 것.'
이것이 이 이야기가 지닌 가장 커다란 진실일까?

이것은 가을, 1960년 10월 초의 일이다. 며칠 있으면 나는 R과 함께 디에프로 향하는 배에 올라 영국을 떠나고, 이브토로 되돌아가 루앙 대학의 교양 과정에 등록할 것이다. 영국에서 쓴 마지막 편지: '1년을 나태하게 보내고 다시 공부를 시작하려 해. 물론 이런 변화는 조금 어럽게 느껴질 거야. 하지만 뭔가를 하는 게 더 기분 좋아. 비록 사회에 아무짝에도 쓸모없는 논문일지라도, 유용하고, 무언가를 만들어내는 듯한 느낌이 들 테니까!'

나는 식료품점과 대학 사이를 급행열차나 전동차를 타고 30분 동안 정기적으로 왕복할 것이다. 여학생들을 위한 기숙사는 따로 없고, 수녀들이 운영하는 우울한 숙소에서 살고 싶지는 않다. 부모님이 나를 부끄럽게 만들지만—나의 아버지는 '감기가 낳았다'라고 썼고, 어머니는 아버지에게 소리를 질렀고, 기타 등등—그 감정은 내가 그들 곁, 그들의 작은 상점에서 얻을 수 있던 피난처—어린 시절의 피난처—를 필요로 하는 마음보다 크지 않다. 대신 나는 정부가 내게 준 장학금—나는 최대 금액을, R은 최소 금액을 받는다—전부를 그들에게 줄 것이다.

개학 날 대강당에서, 나는 문학부의 학부장인 알렉상드르 미샤 교수가 불러준 세 페이지 짜리 도서 목록을 당장 시립도서관에서 빌리겠다고 엄청나게 흥분해서 서두른다. 지적인 활기와 행복한 팽창 속에서—다른 친구들을 사귈 수 있으리라는 기대 속에서—살고 있다. 수업 게시판 앞에서 나는 가냘프고 예쁘장한 여자아이 G

와 말을 섞었는데, 우리는 금세 친구가 되었고, 나는 그 아이가 사탕과 요거트를 제외하면 아무것도 거의 먹지 않는다는 걸 알아챌 것이다. 프랑스전국학생연맹 카드를 만들었다. 세계와 정치가 나의 관심을 끈다.

아라공이 발간하는 〈프랑스문학〉 잡지를 구독했고, 일요일 아침이면 이브토의 도서관에 가서 로그브리예, 솔레르스 같은 '신간'을 빌렸다. 실습 조에서 쓴 첫 번째 문학 소논문으로 가장 좋은 점수를 받았다. 나는 자부심과 충만함을 느끼며 수업을 듣는다. 〈유년기와 고집스러운 사람〉, 〈피레아스의 아이들〉 , 〈초록 들판〉 등 그 가을에 듣는 모든 노래들이 나의 행복을 실어 나른다.

나는 2년 전 내가 사랑을 향해 나아갔듯 내가 쓰려고 하는 책을 향해 나아간다.

음식에 대한 집착이 사라지고, 식욕은 방학 캠프 이전으로 되돌아갔다. 10월 말, 생리를 다시 시작했다. 나는 이 이야기가 음식과 피에 관련된 두 개의 시간적 경계석 사이에, 몸의 경계석 사이에 놓여 있다는 걸 깨닫는다.

내가 처녀인지 아닌지를 더 이상 궁금해하지는 않았던 것 같다. 내 머릿속에서 나는 다시 처녀가 되어 있었다.

(1995년 서울에서 나는 대사관에서 나온 남자와 함께 여자아이들이 유리창 속 난로 옆에 앉아 손님을 기다리던 좁은

길을 걷고 있었다. 남자는 나에게 그녀들이 시골에서 왔으며 몇 년 후면 다시 돌아가 그곳에서 결혼한다고 말해주었다. 아무도 알지 못했던 일을 잊은 채로.)

마리클로드에게 보낸 1961년 12월의 편지.

'나는 파스칼이 그랬던 것처럼 내 방에 조용히 틀어박혀 있어. 내가 가장 좋아하는 순간은 저녁 5시경, 유리창 너머로 노을이 지는 걸 바라볼 때야. 추위가 밖의 모든 것을 돌처럼 얼어붙게 하고 나는 네 시간을 연달아 공부한 참이지. 어두운 시립도서관도 마음에 들어. […] 내가 무척 아름답다고 생각하는 니체의 문장이 있어. 진실로 인해 죽지 않을 수 있도록 우리에게는 예술이 있다.'

1962년의 여름, 알제리 전쟁이 끝난 이후 맞이한 첫 여름에, 교사 월급으로 시트로앵2CV를 산 대학 친구 M과 휴가를 떠났다. 우리는 스페인으로 갔다. 이브토에서 스페인 국경까지의 여정을 짠 것은 나였고, 나는 오른 지방의 S 근처를 지날 수 있도록 동선을 계획했다. 정오 무렵, 우리는 S에 도착했고, 나는 M에게 4년 전 지도강사로 일했던 요양원에 들러도 괜찮겠느냐고 물었다. 우리는 시간에 쫓기지 않았기 때문에, M은 내가 원하는 걸 못 들어줄 이유가 없다고 했다. 나는 별 어려움 없이 M을 장소까지 안내했다. 그늘진 길이었지만 길은 내가 생각했던 것보다 훨씬 더 친숙했다. 우리는 포치 앞에 차를 세우고 차 안에서 그곳을 바라보았다. 오른쪽에 있는 수위실, 소매 없는 스웨터처럼 가지치기한 화단, 요양원의 회색 외관. 아이들이나 지도강사들은 보이지 않았다. 내가 차에서 왜 내리지 않았는지는 모르겠다. 누군가가 알아볼까 봐 두려웠던 것일지도. 7월 초였고, 해가 보이지 않는, 적당히 따듯한 날이었다. 나는 남색 투피스와—너무 더워서 루아르 강을 지나면 더 이상 입지 않을 거였다—자그마한 캔디핑크색 니트를 입고 있었다. 그러니까 정확히 '금발의 여자 교사'처럼. 그녀가 내 앞에 처음으로 나타났던 날, 우리가 단둘이 엑스레이로 폐를 찍고, 통 속에 소변을 보았던 보건실에서 입고 있었던 것처럼.

1962년 바로 그 순간, 4년 전 떠났던 그 장소의 모습을 눈에 담기 위해 차창을 열어야만 했던 시트로앵2CV 안에서 내가 무엇을 느꼈는지는 모르겠다. 그것을 알려면, 나는 그 순간의 내가 S에서 보낸 몇 주의 기억 중 어떤 것을 떠올리고 있었는지를 알아야 하고, 내 인생, 겨우 22년 남짓한 내 인생이 그 당시의 내게 어떤 유동적이고, 모호한 형태로 존재했는지를 떠올려야만 한다. 어쩌면 나는 내가 가지고 있던 이미지에 부합하는 장소를 찾을 수 없다는 익숙한 놀라움 말고는 아무것도 느끼지 않았을 수도 있다. 방학 캠프 장소로 되돌아가기를 원했을 때 나는 무엇인가를 느끼려고 한 것이 아니었다. 그걸 바라기에 나는 너무 어렸고, 『잃어버린 시간을 찾아서』를 완독하지도 않았다. 나는 내가 1958년 여자아이와 얼마나 달라졌는지를 증명하고 나의 새로운 정체성—교수자격증을 따고 글을 쓸 예정인 똑똑하고 단정한 문학 전공 여학생—을 분명히 하기 위해서, 둘 사이의 격차를 헤아리기 위해서 돌아갔다. 결국 나는 1958년의 장소들이 나에게 '무엇인가를 말해'주기를 바라고 간 것이 아니라, 17세기에 지어진 석조 건물의 돌벽과 지붕 아래, 가장 꼭대기 층에 있던 내 방의 작은 창문에, 내가 1958년의 여자아이와 더 이상 아무 관계도 없다는 걸 말해주기 위해 간 셈이다.

그리고 또, 내가 S에 되돌아가서 방학 캠프를 다시 보고자 했던 건, 써보고 싶었던 소설을 쓸 힘을 얻고 싶었기 때문이었던 것 같기도 하다. 글쓰기에 필수적이고 도움이 되는 일종의 전제조건, 일종의 속죄의 제스처—후에 나를 여러 장소로 되돌아가게 할 일련의 전제조건 중 그 첫 번째—혹은 일종의 기도. 마치 장소가 지나간 현실과 글쓰기 사이에 모호한 매개자가 되어줄 수 있기라도 한 것처럼. 그러므로 S를 경유했던 일은, 소설을 쓸 수 있게 해달라는 소원을 빌며 몬세라트 성모상의 발등에 내가 남긴 입맞춤—순례자들 뒤에서 차례를 기다린 끝에 한 것이었는데, M은 정말 질색했다—이나 마찬가지였던 셈이다.

나는 소설을 가을에 썼다. 아주 짧은 글이었다. 제목은 『나무』라고 붙였는데, 메리메 서한집에서 읽은 문장 때문이었다. '나무처럼 사는 데 익숙해져야 한다.' 나중에, 쇠유 출판사로부터 거절당한 후, 나는 제목을 '다섯 시의 해'로 바꾸어 뷔셰샤스텔 출판사에 보냈다. 소설은 이 출판사에도 거절당했다.

1963년 여름, 내가 스물세 살이었던 여름에, 생틸레르뒤투베의 레스토랑 겸 호텔 '셰자크'의 천장이 목재로 된 방에서 나의 생물학적인 처녀성은 의심할 여지 없이 증명됐다. 나는 그의 이름밖에는 알지 못했다. 필리프. 그가 나에게 보낸 첫 번째 편지에서 나는 그의 성을 읽게 됐다. 에르노(Ernaux). 나는 에르몽(Ernemont)과 앞의 세 알파벳이 같다는 사실에 동요했다. 내가 언어학 수업에서 들었던 기억대로라면 이 세 알파벳은 이 둘이 모두 게르만어 계통의 기원을 갖고 있음을 증명했다. 나는 거기에서 어떤 신비로운 징후를 발견했다.

나는 뒤를 돌아보지 않고 이 글을 계속 써왔다.

완전히 다른 방식으로 이 글을 썼을 수도 있겠다는 생각이 문득 든다. 예를 들면 날것의 사실들을 나열한 보고서처럼. 아니면 사소한 디테일에서 출발해서. 첫날밤의 비누, 빨간 치약으로 적힌 말, 두 번째 밤의 닫혀 있던 문, 〈아파치〉가 흘러나오던 탈리호 코너 카페의 주크박스, 고등학교 책상 위에 깊게 새겨졌던 폴 앵카의 이름, R과 함께 음반 가게에 갔다가 부스 안에서 둘이 같이 듣고 나서 샀던 〈Only You〉 싱글 레코드. 나는 그 곡을 어느 토요일 저녁 이브토의 내 방에서, 불을 끈 채 틀어놓고 혼자 천천히, 어둠 속에서 춤을 췄었다.

글쓰기의 가능성이 많아지는 건 우리가 경험하는 그 순간, 경험하는 것의 의미가 부재하기 때문이다.

내가 쓴 것의 기억은 벌써 지워지고 있다. 나는 이 글이 무엇인지 알지 못한다. 내가 책을 쓰면서 뒤쫓고 있던 것마저도 녹아 없어져버렸다. 나는 종이 더미 속에서 이 글을 쓰려고 했던 의도처럼 보이는 메모를 발견해냈다.

어떤 일이 벌어지는 그 순간에 벌어지고 있는 일이 지닌 무시무시한 현실성과 몇 년이 흐른 후 그 벌어진 일이 띠게 될 기묘한 비현실성 사이의 심연을 탐색할 것.

옮긴이의 말

읽는 것만으로도 그 강렬함이 충분히 전달되는 작품에 어떤 말을 덧붙여야 할까. 후기를 써야 한다고 생각하면 할수록 난감해졌다. 어떤 말을 덧붙이더라도 사족이 될 게 자명했으니까. 이 작품에 깊게 빠져 있었던 지난 두 계절 동안 에르노의 글이 나의 마음을 어떻게 건드렸고, 잊으려 했던 기억들을 어떻게 먼 곳에서부터 끄집어내 나를 기쁨과 고통 속에 던져놓았는지는 이야기할 수 있을 테지만, 그것은 독자와 작품의 만남을 오히려 방해할 것이 틀림없었다. 한참의 시간이 흐른 후 결국 나는 이 작품에 굳이 무언가를 덧붙여야 한다면 그건 다른 언어로 쓰인 텍스트를 한국어로 옮기는 과정에서 불가피하게 누락했을지도 모르는 것에 대한 이야기일 수밖에 없지 않을까 하는 결론에 도달했다.

오랜 고민 끝에 한국어판의 제목을 『여자아이 기억』으로 정했다. 이 책의 원제는 'Mémoire de fille'인데, 이 제목은 두 가지 의미로 해석할 수 있을 듯하다. 첫 번째 가능성은 '여자아이에 대한 기억'으로 이해하는 것이다. 실제로 이 책은 에르노의 작품들 대부분이 그렇듯 기억에 대한 이야기로, 아니 에르노가 '1958년의 여자아이'라고 명명한 '그녀'에 대한 기억의 이야기라고 할 수 있다. 처음으로 가족을 떠나, 사랑을 경험하고, 성에 눈뜨는 인생의 특별한 순간을 경험한 여자아이에 대해 노년의 작가가 가지고 있는 기억의 이야기. 또 다른 가능성은 이 제목을 '여자아이의 기억'으로 해석하는 것이다. 어떠한 예감이나 징후도 없이, 자신을 과거와 완전히 다른 존재로 만들어버린 한 시절, 한 '사건'에 대해 여자아이가 간직한 기억에 대한 이야기. 이 둘은 언뜻 비슷해 보이지만 미세하게 다르다. 전자에서 여자아이는 기억의 대상이지만 후자에서는 기억의 주체이기 때문이다. 독자로서 나는 이 책을 대상으로 추락했던 여자아이가 주체의 자리를 회복해가는 과정으로 이해했기 때문에 이러한 뉘앙스를 잘 살릴 수 있는 제목을 한국어로도 붙이고 싶었다. 고민이 깊었던 만큼 한국어로 읽을 독자들에게도 제목이 잘 가닿았으면 좋겠다.

출간 후 가진 한 인터뷰에서 아니 에르노는 이 작품이 '삶에서 만나는 모든 것들, 성(性), 타인들, 학업, 진로, 그리고 자신의 육체를 어떻게 살아내야 하는가 하는 문제'에 대한 이야기라고 설명한 바 있다. 한 여자아이가 어떤 시절을 통과하며 삶을 살아가는 법을 배우고 세계에 입문하는 이야기라는 측면에서 이 작품을 읽으며 나는 자연스럽게 시몬 드 보부아르의 『얌전한 처녀의 회고록』을 떠올렸다. 많은 성장 서사들 중에서 내가 이 작품을 떠올리게 된 가장 직접적인 이유는 제목이었을 것이다. '얌전한 처녀의 회고록'이라는, 한국어로 번역된 제목에서는 잘 드러나지 않지만 두 작품의 제목 사이엔 명백한 유사성이 있다.* 『여자아이 기억』에서도 엿볼 수 있듯 아니 에르노는 자신에게 큰 영향을 미친 사람으로 부르디외와 함께 보부아르를 꼽아왔다. 그 점을 염두에 둔다면 에르노의 글에 자신보다 앞서, 장르 특성상 소설이 현실을 재현하는데 불완전하다고 생각해 왜곡이나 삭제를 거치지 않은 자서전 형식을 빌려 보편에 가닿으려 시도했던 보부아르의 첫 번째 자서전을 연상하게 하는 제목이 붙은 게 우연은 아닌 듯 느껴진다. 물론 『여자아이 기억』의 집필 시기보다 대략 50년 앞서 쓰인 자

* 『얌전한 처녀의 회고록』의 원제는 'Mémoires d'une jeune fille rangée'이다.

서전(공교롭게도 이 책이 출간된 해가 1958년이다)에서 보부아르는 비교적 전통적인 방식으로 여성인 '나'가 세상에 입문하는 과정을 선적으로 그리며 '나'를 축조해나간다. 반면 아니 에르노는 이 책에서 '나'를 축조하기보다는 해체하고, 기억의 빈틈을 메우기보다는 남겨놓는 방식으로 글을 쓴다.

이 책을 읽은 사람이라면 누구나 느끼겠지만 에르노가 이 작품을 통해 해체하는 '나'는 틀림없이 젠더화된 육체를 가진 '여자'아이이다. 에르노의 자기연민이 거세된, 담담한 문체의 글을 읽으면서 내가 몇 번이나 멈춰 먹먹해진 마음을 추슬러야 했던 것 역시 이 이야기가 아마도 여성으로서 경험했던 나의 어떤 기억들을 건드렸기 때문일 것이다. 하지만 나는 이 작품에 마음이 움직이는 건 여성만은 아닐 거라고 믿는다. 누구든 안전하고 완벽한 자족의 세계에서 벗어나 처음으로 타자와 대면하고, 이해할 수 없으나 내게 강요된 타자의 법칙 앞에 압도되어 자신을 상실해본 사람이라면, 그리고 상실의 고통을 이겨내고 다시 주체가 되기 위해 분투해본 경험이 있는 사람이라면, 이 여자아이에게서 자신을 발견할 수 있을 테니까.

『여자아이 기억』의 번역 원고를 넘기고 교정지를 기

다리는 사이 아니 에르노가 노벨문학상 수상자로 결정되었다는 소식을 들었다. 내가 아니 에르노를 오랫동안 좋아해왔다는 사실을 아는 많은 친구들이 마치 상을 받은 사람이 나라도 되는 듯 축하 메시지를 보내왔다. 문학상 수상만이 한 작가의 문학적 가치와 성취를 증명한다고는 결코 생각하지 않지만 아니 에르노의 노벨상 수상 소식은 특별히 기뻤다. 늘 특수하고 사소한 것으로만 취급되던 여성의 사적인 경험에 기반한 글쓰기가 마침내 보편적 가치를 인정받았다는 의미로 느껴졌기 때문에. 수상 소식을 계기로 아니 에르노가 한국의 더 많은 독자들에게 읽히게 되어 기쁘다. 아니 에르노에 대한 관심이 일시적인 불꽃으로 꺼지지 않고 오래 지속될 수 있도록 하는 데 이 책이 작게나마 도움이 된다면 옮긴이로서는 큰 보람을 느낄 것이다.

옮긴이 백수린

2011년 경향신문에 단편소설 「거짓말 연습」이 당선되어 작품활동을 시작했다. 지은 책으로는 소설집 『폴링 인 폴』, 『참담한 빛』, 『여름의 빌라』, 중편소설 『친애하고, 친애하는』, 짧은 소설집 『오늘 밤은 사라지지 말아요』, 산문집 『다정한 매일매일』, 『아주 오랜만에 행복하다는 느낌』 등 있고 옮긴 책으로 아고타 크리스토프의 『문맹』, 마르그리트 뒤라스의 『여름비』 외 몇 권의 그림책이 있다.

여자아이 기억

초판 1쇄 발행 2022년 11월 30일
초판 3쇄 발행 2023년 3월 3일

지은이 아니 에르노
옮긴이 백수린
펴낸이 윤석헌
편집 이승희
제작처 민언프린텍
펴낸곳 레모
출판등록 2017년 7월 19일 제 2017-000151 호
주소 서울시 서초구 서초대로 33길 99, 201호
전자우편 editions.lesmots@gmail.com
인스타그램 @ed_lesmots

ISBN 979-11-91861-16-7 03860